VIVRE C'EST VENDRE

Couverture
- Maquette:
  MICHEL BÉRARD

- Illustration de GUY GAUCHER

Maquette intérieure
- Conception graphique:
  ANDRÉ DURANCEAU

- Illustrations de GUY GAUCHER

DISTRIBUTEURS EXCLUSIFS:

- Pour le Canada
  AGENCE DE DISTRIBUTION POPULAIRE INC.,*
  955, rue Amherst, Montréal H2L 3K4, (514/523-1182)
  * Filiale du groupe Sogides Ltée

- Pour l'Europe (Belgique, France, Portugal, Suisse,
  Yougoslavie et pays de l'Est)
  VANDER S.A. Muntstraat, 10 — 3000 Louvain, Belgique
  tél.: 016/220421 (3 lignes)

- Ventes aux libraires
  PARIS: 4, rue de Fleurus; tél.: 548 40 92
  BRUXELLES: 21, rue Defacqz; tél.: 538 69 73

- Pour tout autre pays
  DÉPARTEMENT INTERNATIONAL HACHETTE
  79, boul. Saint-Germain, Paris 6e, France; tél.: 325.22.11

JEAN-MARC CHAPUT

VIVRE C'EST VENDRE

LES ÉDITIONS DE L'HOMME*

CANADA: 955, rue Amherst, Montréal 132
EUROPE: 21, rue Defacqz — 1050 Bruxelles, Belgique

* Filiale du groupe Sogides Ltée

Pourquoi?

Parce que ceux qui disent que vendre, c'est toujours tromper quelqu'un ou qui laissent entendre, avec le dictionnaire, que vendre c'est souvent trahir, parce que ceux-là mêmes sont forcés d'admettre que pour défendre leur idée, ils sont obligés de la vendre. S'ils veulent vous rendre service en vous éclairant, ils sont obligés de vendre.

Parce que tous ceux qui vivent en société vendent. (Vous allez me dire que l'ermite qui vit dans le désert a moins l'occasion de vendre. Là encore, il doit se convaincre tous les jours lui-même de continuer à vivre au désert.) La société, c'est d'abord la famille. Vous vendez à vos enfants l'idée de faire leur lit, l'idée de mettre de l'ordre dans la cuisine, de passer l'aspirateur. Vous vendez à votre femme l'idée de faire un bon repas, l'idée de vous aider dans votre travail. Elle vous vend l'idée de tondre le gazon ou d'enlever la neige sur la galerie. La société, c'est aussi le milieu dans lequel vous travaillez. Vous vendez à votre patron l'idée d'augmenter votre salaire. Votre patron vous vend l'idée de vendre plus . . .

Parce que dans la vie, il y a une équation simple à retenir: vivre, c'est échanger. Echanger, c'est vendre, c'est rendre service. Quand vous demandez à votre enfant de passer l'aspirateur, vous lui rendez service: vous lui apprenez à vivre dans une maison propre où il retrouve ses affaires. Quand vous demandez à votre patron une augmentation, vous lui dites en même temps que vous êtes prêt à travailler plus. A partager les profits. Et il doit vous faire partager l'idée de vous impliquer plus dans son entreprise. Dans votre entreprise.

Parce que la serveuse qui brasse devant vous la salade César, en disant « Mon Dieu, qu'elle va être bonne . . . », ou celle qui fouette pendant dix minutes le sabayon, en vous montrant comme il devient de plus en plus mousseux . . ., elles vous rendent service. Vous vous mettez à table avec appétit. Elles viennent de réussir quelque chose. Elles viennent de réussir.

Parce que ceux à qui je donne des causeries, durant toute l'année, sont aussi des gens qui veulent réussir. Faire parfaitement les choses qu'ils aiment. Alors les gens vous apprécient et plus ils vous apprécient, plus vous réussirez. Parce que vous êtes vous-même de plus en plus. De plus en plus, vous devenez l'homme que vous auriez dû être.

Parce que je réponds au désir de ceux qui me disent: « J'aimerais ça l'avoir par écrit, ta causerie, Jean-Marc. J'aimerais ça m'asseoir le soir et me rappeler le passage que j'étais en train d'oublier. Voir comment ce passage-là peut me servir, m'aider à réussir. »

Parce que tous les humains sur la terre veulent réussir. Pourquoi? Pour que ceux qui liront ce livre se sentent un peu plus eux-mêmes. Vivre, c'est vendre.

Parce que vivre heureux, c'est bien vendre.

Pourquoi apprendre?

Les psychologues, et Dieu sait si j'en ai vérifié des théories de psychologues, ont étudié surtout comment les gens de toutes les catégories apprennent. Les gens simples et les gens très instruits, les savants et tous ceux qui n'ont fait qu'une forte quatrième année. Tous ces gens qui apprennent franchissent les mêmes étapes. Certains s'arrêtent en cours de route . . . Cependant, ceux qui apprennent vraiment, en franchissent quatre. D'inconscients et incompétents, ils deviennent conscients et incompétents, puis par la suite conscients et compétents, et lorsqu'ils savent vraiment, inconscients et compétents.

1. Inconscients et incompétents

La première étape n'est pas une étape où on apprend: on vient au monde ainsi. On vient au monde inconscient et incompétent. C'est-à-dire qu'on vient au monde et qu'on ne sait pas qu'on ne sait pas. Ce qui est triste, ce n'est pas de venir au monde comme ça. C'est de voir des gens qui restent accrochés là toute leur vie. Des gens qui n'en sortent pas. Des gens qui passent toute leur vie à ignorer qu'ils ne savent pas. A ignorer qu'ils pourraient peut-être apprendre. A ignorer qu'ils ont tout entre les deux oreilles pour réussir. A ignorer qu'ils ont aussi dans la tête des espèces de vitres qui les empêchent de se rendre compte qu'ils pourraient apprendre. Ces gens-là passent leur vie à ignorer leur incompétence.

Ceux qui font la parade

Mon ami Bob me disait, un jour: « Jean-Marc, je ne sais pas si tu as déjà réalisé que la société se divise en trois groupes: ceux qui font la parade, ceux qui la regardent passer et ceux qui ne savent même pas qu'il y a une parade. »

« Le premier groupe représente environ deux pour cent: il est composé de ceux qui font les parades. Ce sont des gens qui font arriver des choses. Qui font que les choses arrivent. Des gens qui produisent vraiment. Des gens que tu rencontres dans la vie et qui sont des espèces de moteurs. Ils en sont même fatigants. Ils sont toujours en ébullition. Ce sont des gens à qui tu dis: "Là, il faudrait peut-être t'arrêter . . . faire une petite pause . . ." Ils ont toujours des choses à changer. Ils veulent toujours améliorer. Ils veulent toujours créer. Ils sont toujours à l'avant. Il y a deux personnes sur cent qui font arriver des choses. Ce sont des locomotives. »

Ceux qui regardent passer la parade

« Le deuxième groupe représente environ huit pour cent de la population. Il n'est pas composé des gens qui font la

parade, mais de ceux qui la regardent. De ceux qui disent: "Eh bien! ça c'est une belle parade! Que j'aimerais donc ça, être dedans! Mais qu'est-ce que tu veux, je n'ai pas eu de chance. Je n'ai pas eu l'éducation. Je n'ai pas eu la formation. Maintenant, je suis marié, j'ai trop de responsabilités"; ou au contraire, "Là, j'ai cinquante ans et je suis trop vieux"; ou "J'ai soixante-quatre ans, je suis trop vieux, il faut que j'attende pour prendre ma pension"; ou "J'ai un fonds de pension accumulé depuis vingt ans... Je ne vais pas perdre tout ça." Alors, ils regardent la parade passer. »

« La différence entre le premier groupe et le second, entre ceux qui font la parade et ceux qui la regardent, ce n'est pas que le premier groupe n'a pas peur et que le deuxième a peur. Bien au contraire. Tous les deux ont peur. J'ai connu des gens qui faisaient des parades et qui avaient le trac, extraordinairement. Tout le monde a le trac. La seule différence, c'est que ceux qui font la parade ont peur une fois que la parade est commencée, tandis que ceux qui regardent ont peur avant qu'elle ne commence: "C'est trop dangereux. Je fais mieux de ne pas commencer." On appelle ça, malheureusement très souvent, être réaliste. Pour plusieurs, être réaliste c'est rester assis. Regarder les autres agir. Ne pas emboîter le pas. Huit personnes sur cent savent qu'il y a quelque chose à faire, mais le destin a décidé que ce n'était pas pour elles. "Que ce n'est pas pour moi: il est impossible de voyager passé soixante-cinq ans. Tout le monde dit que c'est trop vieux. Et pourtant... »

Ceux qui ne savent pas qu'il y a une parade

« Le troisième groupe, me disait Bob, représente malheureusement quatre-vingt-dix pour cent de la société. Il est composé de gens qui ne savent même pas qu'il y a une parade. Ils ne savent même pas que, pour eux, il y a quelque chose à faire dans la vie. Neuf personnes sur dix ignorent totalement qu'il y a une parade et qu'ils pourraient en être.

Ce sont des gens qui en sont toujours à la première étape de l'art d'apprendre. Ils ne savent pas qu'ils ne savent pas. »

Ces gens-là se lèvent comme des machines, tous les matins. Arrivent au travail à huit heures moins le quart. Poinçonnent. Ensuite, ils bâillent et en bâillant, ils vont dire: « Euh! ce sera une longue journée! » A cinq heures moins dix, ils vont se laver les mains. A cinq heures, ils quittent. Ils seront à la maison à cinq heures trente. Ils vont prendre une petite bière. Ils vont souper, regarder la télévision. Et en regardant la télévision, ils vont dire: « Euh! on va se coucher de bonne heure, parce que demain il faut être à l'usine à huit heures moins le quart. » Toute leur vie. Cinquante ans. Sans jamais se demander s'ils pourraient faire autre chose. Entrer dans la parade, par exemple. Vous aussi, pourquoi pas?

La moto de grand-père

Une artiste de la radio et de la télévision raconte l'histoire de son grand-père qui, à l'âge de soixante-treize ans, demande à son neveu de l'amener s'acheter une motocyclette. « Ben non! pépère, pas une motocyclette à ton âge, soixante-treize ans! T'es pas pour avoir une motocyclette. Seigneur! tu vas te tuer, pépère! » Grand-père a dit non: « Ça fait des années que je rêve d'une motocyclette. Je veux une motocyclette. Je vais m'acheter une motocyclette. » Et grand-père a gagné sa motocyclette. A l'âge de soixante-treize ans, casque blanc, veste de cuir, grand-père est parti pour la Gaspésie. Son voyage a duré deux ans. Un matin, grand-père est sorti un peu vite de la cour et a été frappé par un camion. Grand-père est mort. Mais grand-père est mort en faisant la parade. Pas en la regardant passer. Pas en se berçant sur sa galerie et en marmottant: « Mon Dieu, que j'aimerais ça être encore jeune, avoir dix-sept ans et monter sur une moto. » A soixante-treize ans, grand-père est monté sur une moto . . . des gens qui s'embarquent.

Il était venu pour m'écouter ...

Un homme, qui m'a entendu à un souper-causerie, m'a donné ce témoignage. Il m'a raconté qu'invité à ce souper-causerie, il se disait: « Ça va être long. Encore un de ces soupers d'hommes d'affaires! » Cet homme avait vendu son entreprise et on l'avait gardé à contrat pour cinq ans comme vice-président des ventes. Bon emploi. Bon salaire. Il n'était pas obligé de travailler tard. Jamais de réunion le soir. Tranquille. Pas de problèmes. Petite vie bien calme. Il est venu pour m'écouter ... Quand il est revenu chez lui (je dois ajouter que sa femme était avec lui à la causerie), en prenant un café avant de se coucher, il lui a dit: « Mon Dieu, ma femme, je suis en train de manquer la parade. Il y a une parade et je ne suis pas dedans. » Le lendemain matin, il donnait sa démission. Le lendemain matin, il décidait de devenir courtier en immeuble. Il a pris des cours et il a commencé à vendre de l'immeuble. Et quand je l'ai rencontré, il m'a dit: « C'est extraordinaire, Jean-Marc, tu m'as fait entrer dans la parade. Et c'est ça qui est la vie. Il faut sortir de la classe de ceux qui regardent passer la parade. »

2. Conscients et incompétents

La deuxième étape, c'est quand, tout à coup, on devient conscient de son incompétence. Ça, normalement, ça se passe dans les quelques années qui suivent la sortie de l'école. Parce que quand on sort de l'école, on sait tout. Et, évidemment, à l'université, on nous dit qu'on sait tout. Au CEGEP, on nous dit qu'on sait tout. D'ailleurs, personne n'irait au CEGEP s'il ne devait tout savoir. Et de là, on s'en va travailler dans une entreprise. C'est effrayant tout ce qu'on peut savoir avec un diplôme. On sait tout de l'ordinateur. Le data-processing, on connaît ça: on a un diplôme en data-processing. On a un diplôme en technique administrative. On a un diplôme universitaire en marketing et Dieu sait si on connaît cela ... Et on décide de tout changer dans l'entreprise. De changer la façon de vendre des vendeurs. Et on décide de donner des cours aux vendeurs. De créer des séminaires sur les techniques de la vente. Et au bout de six mois, quand tout est prêt, un bon matin, on rencontre les vendeurs. On commence à parler et là, tout à coup, un vendeur un peu plus brave décide de répondre au « jeune-homme-qui-connaît-tout-dans-le-marketing ». Il lui pose des questions. On peut même dire des colles.

Alors, il comprend qu'il ne sait pas tout. Qu'il lui en manque un bout. Il ne l'a jamais vendue, lui, la page publicitaire. Il ne l'a jamais vendu l'orgue électrique. Il ne l'a jamais vendue la maison préfabriquée. Il ne l'a jamais vendue la tablette de chocolat. C'est vrai que tout n'est pas dans les livres. C'est vrai que dans la grosse bible dans laquelle on exposait les principes du management et du marketing, ils n'étaient pas encore écrits ces chapitres-là. C'est là que notre jeune homme comprend: « Patron, je pense que ça n'a pas été un succès mon affaire. » Et le patron lui répond: « Bravo, mon garçon, tu es rendu à l'étape numéro deux. Tu viens de devenir conscient que tu ne sais pas tout. Tu viens d'apprendre que ce n'est pas vrai que tout est dans les livres. Au contraire. Ce que tu t'imaginais faire à l'école, ce n'est pas ce que tu y faisais. A l'école, tu apprenais à apprendre. Ce que tu apprenais n'était qu'un exercice. »

Au rythme où tout change, l'accélération du changement fait que ce qu'on apprend à l'école ne pourra nous servir toute la vie. La base, c'est d'apprendre à apprendre de plus en plus vite et de plus en plus rapidement. Les psychologues disent que cette étape est très importante et que le fait de la franchir représente quatre-vingt pour cent de la réussite. Se rendre compte tout à coup qu'on ne sait pas tout. Qu'on ne sait pas tout et qu'il y a beaucoup à apprendre. C'est surprenant de constater qu'en Occident, notre système d'éducation est fait pour des gens qui sont capables d'apprendre jusqu'à un certain niveau. Ils sont comme des chaudières. Alors, on remplit la chaudière jusqu'au bord et rendu à vingt-trois, vingt-quatre, vingt-huit ou trente ans, on dit: hop! la chaudière est pleine. On donne le diplôme. On dit que c'est fini. Qu'elle sait tout.

Ce n'est pas comme cela dans la vie. La vie commence quand on reçoit son diplôme dans l'art d'apprendre: « Maintenant que tu ne sais rien mais que tu sais comment apprendre, va apprendre dans la vie. Va apprendre tous les jours. Va apprendre dans les livres. Dans les émissions de radio et de télévision. Dans les journaux. Va apprendre partout. Va apprendre avec les gens. » C'est la deuxième étape. Le principe sur lequel reviennent l'homme mûr, les grands professionnels de la vente et de la vie; le chirurgien doit continuellement y revenir. Le réalisateur de radio et de télévision aussi. Et le président de l'entreprise. Il doit redescendre de temps en temps et dire: « Je ne sais pas tout. Les camions, je ne connais pas bien ça. Il faut que je demande comment ça marche. » Demander. C'est une démarche que l'on ne fait pas assez souvent. C'est une démarche tout à fait honnête que de dire aux gens: « Je m'en viens voir s'il n'y a pas quelque chose que je pourrais apprendre. » Quelque chose qu'il me reste à apprendre!

3. Conscients et compétents

La troisième étape commence quand on devient conscient de sa compétence. Quand, un matin, on se réveille, qu'on se regarde dans le miroir et qu'on se dit, en prenant une grande respiration de satisfaction: « Je suis bon. Je la connais, mon affaire. » Ce n'est pas une démarche facile à faire au Québec, dans ce petit monde, un peu janséniste, où la religion a eu sur nous une si grande influence, où nous avons appris que la démarche importante, c'était de se mettre à genoux tous les matins, de se frapper la poitrine et de dire: « Mon Dieu! que je suis niaiseux, que je suis niaiseux, que je suis niaiseux! » C'est difficile de dire qu'on est bon. C'est difficile de le penser. Ce n'est presque pas possible. Vous venez de vous dire que vous n'êtes pas bon et la société qui nous entoure est faite de telle façon qu'elle nous répète continuellement les erreurs que nous faisons, qu'elle les enregistre continuellement.

Réussites et déconfitures

J'ai fait des expériences intéressantes en rencontrant des

groupes de vendeurs. Ces expériences m'ont toujours passionné. Remarquez que l'on pourrait faire les mêmes expériences avec n'importe quel groupe de gens. Je demandais un jour à un as de la vente de me parler de la dernière vente, de la dernière grosse commande qu'il avait manquée. C'est extraordinaire, toutes les raisons qu'il inventait. Il les connaît toutes, les raisons. Il sait pourquoi ça n'a pas marché. C'est extraordinaire comment il a tout appris. C'est que le prix du produit est trop élevé, c'est que la livraison est mauvaise, c'est que la qualité n'est pas celle qu'attend le client, c'est que la publicité est mal faite, que les bons de commande sont mal écrits et, en plus, c'est que les politiques de la compagnie sont trop rigides et qu'il est impossible de jouer avec les prix afin d'assouplir les marchés. Et c'est pour toutes ces raisons, dit-il, qu'il n'a pas eu la commande. Il a passé des heures, ce champion de la vente, à analyser pourquoi il n'a pas eu la commande. Il a ruminé dans son auto. Il s'est endormi dessus, tard le soir, en se disant: « Si je travaillais pour une compagnie plus ouverte, si je travaillais pour une compagnie qui m'écoute! Mon Dieu! que ça irait mieux. Que j'en vendrais donc des affaires! »

Lorsque mon vendeur en eut terminé, et ça a duré une grosse heure, lorsqu'il eut terminé ses explications, après avoir pris de nombreuses notes, je lui ai posé cette question: « Et la dernière vente que tu as faite, pourquoi ça a fonctionné? » Là, je vois mon champion qui se tord un peu sur son siège, se fait aller les mains, tambourine avec son crayon et dit: « Euh! bah! ah! . . . parce que j'ai été voir le client. » « Nous le savons puisque tu as obtenu la commande. » « Euh! bah! ah! . . . parce que je lui ai parlé de mes produits. » « Nous le savons puisque tu les as vendus. Mais en plus? » Et le vendeur ne sait pas pourquoi. Ça a fonctionné. Pourquoi? Il n'en a aucune idée. Il ne connaît pas la page du dépliant publicitaire qu'il a utilisée. Il ne sait même pas si c'est la bonne page. Il ne se souvient pas du crayon qu'il avait en main. Il n'a pas analysé sa recette. Il analyse ses déconfitures et non ses recettes. Il ne sait pas pourquoi il est bon vendeur. Il a sauté l'étape qui consiste à devenir conscient de sa compétence.

« Mais non! restez assis . . . »

Un des amis, un ami extraordinaire, un vendeur d'assurances qui a vendu l'an dernier au-delà de vingt millions de dollars d'assurance-vie, passe des journées, des dimanches complets à analyser sa recette. A analyser pourquoi ça fonctionne. Et en analysant, il s'est rendu compte des éléments qui se répètent au moment des ventes. Des espèces de constantes. Par exemple, lorsque le client achète, c'est lui qui est assis dans le fauteuil du vendeur. Le vendeur s'asseoit de l'autre côté de sa table de travail, à la place du client. Son fauteuil devient très important. Mon ami est allé voir un fabricant de fauteuils. Le fabricant lui a dessiné un énorme siège et lorsqu'on entre dans son bureau, on le remarque tout de suite. Spontanément, on dit: « Mon Dieu, quel fauteuil! » « Essayez-le ». Et on l'essaie. On se dandine un peu, on se sent bien et, au moment où on se lève: « Mais non! restez assis. De toute façon, c'est vous qui devez prendre la décision. » Remarquez que le vendeur a pris conscience de sa recette. Il a découvert sa façon de travailler. Sa façon de vendre. Il a analysé une recette qui fonctionne et pas seulement celle qui ne fonctionne pas. La société passe son temps à nous signaler nos erreurs et on risque de n'emmagasiner que des erreurs. On risque de se dire constamment qu'on n'est pas bon. On risque même de se bâtir, à l'intérieur de soi-même, l'image qu'on n'est pas bon.

Pas seulement au travail, dans la vie aussi. Dans sa famille. Avec certains enfants, on a plus de difficultés qu'avec d'autres. Qu'est-ce qu'on fait? On passe son temps à analyser le comportement de ces enfants-là. Alors qu'on devrait analyser le comportement de ceux qui fonctionnent. Ce sont eux qui représentent la solution. La vraie recette. On passe son temps à analyser des défaites et on oublie de réfléchir à ses bons coups. Les seuls qui sont positifs. Et c'est vrai pour tout le monde. Vous qui êtes en train de lire. Vous aussi, vous en avez fait des bons coups. Peut-être même hier! Et pourtant, vous avez du mal à vous en souvenir. Mais les erreurs que vous avez faites, hier, mon Dieu! que vous vous en souvenez donc! Parce qu'on vous a remis ça sur le nez: la société, votre femme, vos enfants, votre patron. Je disais à quelqu'un dernièrement: « Mon Dieu! que j'ai hâte que les gens de l'impôt m'écrivent: "Monsieur, votre rapport d'impôt est parfait, merci beaucoup." Mais non. Les gens écrivent toujours en disant: « Vous avez une erreur ici, une erreur là . . . »

Comment faire régulièrement trois prises

On raconte que Willy Mays, qui a été l'un des meilleurs frappeurs dans la Ligue nationale de baseball professionnel, disait ne pas analyser, dans les périodes creuses, les raisons de ses insuccès, « Comment ne pas frapper. » « Au contraire, disait-il, je me rappelle les fois où je frappais, comment je me plaçais les pieds quand je frappais, comment je regardais la balle quand je frappais. » C'est pour cette raison que Willy Mays a eu une si bonne moyenne. Il a appris à se rappeler ses succès et non ses erreurs. C'est-à-dire qu'il n'a pas analysé la façon de faire régulièrement trois prises.

4. Inconscients et compétents

Quatrième étape. On franchit cette étape quand on devient ce qu'on appelle « un joueur naturel ». Quand on joue par habitude. On est alors exactement dans la position d'un joueur de hockey. Rappelez-vous lorsque les Russes sont venus jouer contre les Canadiens, tout le monde a dit: « Les Russes vont recevoir une rude leçon de hockey. Eux, ils vont apprendre ce que c'est que le hockey! » Et aussitôt la première partie commencée, qui a appris de qui? Ça été de justesse si les Canadiens ont gagné. En fait, quel était le secret des Russes? Ils avaient dépassé la troisième étape. Ils étaient devenus conscients de leur compétence. Tandis que les Canadiens avaient sauté cette troisième étape. Ils étaient inconscients de leur compétence. Ils ne savaient pas pourquoi ils gagnaient. Ils n'avaient jamais analysé les films des parties passées pour voir comment les joueurs se plaçaient durant certains jeux. Ce que les Russes faisaient régulièrement. Ce que l'on fait régulièrement au football. Ils ne s'étaient pas rendus compte de l'importance de la forme physique. Les Russes, conscients de leur recette, en étaient venus à la conclusion que des bons joueurs devaient être en parfaite forme physique. Nous n'étions pas aussi convaincus. Nous n'avions pas l'impression que c'était aussi nécessaire. Nous jouions « par oreille ». On ne sait pas pourquoi ça marche à certains moments et seulement dans certaines circonstances. On évite d'analyser les éléments positifs de la recette et de les répéter. Alors ça ne fonctionne pas et on se demande pourquoi ça ne fonctionne pas, ce qui en fin de compte n'est pas important.

Analyser ses succès

Il faut analyser continuellement ses succès. A partir d'aujourd'hui et de maintenant, dans un petit livre, apprenez à noter vos succès. A dicter vos succès. Après une vente, vous rentrez immédiatement au bureau et vous prenez note de tout ce que vous avez fait: quel crayon, quel dépliant vous avez utilisés, quelle histoire vous avez racontée, comment vous avez dit bonjour. Vous allez tout noter dans le détail. Ce qui va vous permettre d'analyser et de réutiliser par la suite votre recette. Ce n'est pas ma recette qui est importante, ce n'est pas la recette de Jean-Marc Chaput. Chacun a sa façon de faire. Vous avez la vôtre. Et c'est de celle-là que vous devez vous souvenir. C'est ce que j'aimerais vous faire comprendre. Vous devez apprendre comment on devient bon. Comment on peut obtenir des succès d'une façon répétée. Au début, on doit le faire de façon consciente, mais normalement cela devient une habitude. Cependant cela ne doit jamais devenir une habitude: on doit toujours savoir pourquoi on réussit.

L'ordinateur ne sait pas pourquoi . . .

On en arrive à une constatation très importante: l'importance des « pourquoi ». En lisant un livre, dans toutes les autres circonstances de la vie, dans ce livre et dans la vie, il faut toujours se demander: pourquoi, et non comment. Comment, c'est tellement simple. Une machine sait comment. Un ordinateur sait comment. Mais la seule différence entre un ordinateur et un homme, c'est le pourquoi. L'ordinateur ne sait pas pourquoi. L'homme sait pourquoi. Et vous, dans la vie, il faut que vous sachiez pourquoi. Il faut que, continuellement, vous remettiez tout en question. Pourquoi! Pas seulement quand on a une défaite, surtout quand on a un succès. Rien me fait plus peur que les gens qui me disent: « Jean-Marc, ça marche mon affaire. Ça fonctionne! » « Oui? pourquoi? » « Je ne sais pas. » Ça, c'est dangereux. Parce qu'au moindre déclin dans l'économie, quand le cycle économique se défait, ces gens-là perdent à un rythme terrible. Pourquoi? Parce qu'ils ne savent pas pourquoi. Ils ne savent pas pourquoi ils sont bons. Pourtant, la première question, c'est de se demander pourquoi on est bon. Regardez-vous dans un miroir et soyez fier de vous dire: « C'est beau ce que je fais. »

Les ingrédients de la réussite

Tous les gens veulent réussir. Il n'y a pas un être humain sur terre qui ne tienne pas à réussir. Mais beaucoup ne savent pas qu'ils le peuvent. Ce qui est important pour vous, lecteur, qui vous préparez peut-être à vendre et sûrement à vivre, c'est d'analyser les étapes de la réussite et de voir si vous les comprenez bien. Les mêmes psychologues qui ont défini « l'art d'apprendre » ont aussi analysé la méthode qui permet aux gens de réussir. Quels sont les principaux ingrédients de la réussite?

La compétence, les connaissances: celles du produit et des techniques, celle de l'homme.

La motivation: la volonté de gagner et une attitude positive devant la vie.

1. La compétence

L'élément fondamental de la compétence, ce sont les connaissances. Il ne s'agit évidemment pas de connaissances livresques, de connaissances qu'on retrouve à l'aide d'une table des matières ou de citations, il ne s'agit pas de grands mots, non! Il ne s'agit pas des connaissances apprises par coeur, mais des connaissances vécues. De ce qu'on apprend dans la vie. De ce qu'on apprend partout.

En écoutant une émission de radio. En écoutant parler quelqu'un d'intéressant. J'entendais dernièrement, à la radio, quelqu'un dire ceci: « Il y a deux grands tempéraments. Celui de l'entrepreneur, celui qui fait les parades, et celui de l'artisan, celui qui fait bien les choses au lieu de faire la bonne chose, comme le fait l'entrepreneur. » Je me suis dit que c'était vrai et que c'était intéressant. Je voyais déjà toutes sortes d'applications. J'avais appris quelque chose. Vous voulez apprendre à vendre? Pourquoi ne pas le demander au client! Et surtout au client qui vient d'acheter. Demandez-lui pourquoi il a acheté. Et vous allez apprendre une foule de choses nouvelles.

A l'intérieur de ces connaissances, il y a évidemment la connaissance du produit. Il s'agit d'une connaissance de base, d'une connaissance technique, de tout ce que vous apprenez lorsque vous commencez dans une compagnie. Comme vendeur, on vous a enseigné comment utiliser des catalogues, quel inventaire porter, quelle sorte d'échantillons montrer, comment vous servir d'un bon de commande, comment faire une note de crédit, comment tenir un compte de dépenses, bref, toute une série de techniques. On a eu des cours pendant des années, sur les techniques. Des espèces de recettes. Comment faire les choses. Et mon Dieu! qu'on en a appris des techniques. Mais à côté « des choses », on a découvert, récemment (ça fait à peine trente ou quarante ans), un tout autre secteur, un autre secteur de connaissances primordiales et trop souvent oubliées: la connaissance de l'humain.

Une bicyclette à deux roues . . .

On peut comparer la vente à une bicyclette. Comme une bicyclette, la vente a deux roues. Une roue arrière, qui est la connaissance du produit et des techniques, la connais-

sance des applications. Et il n'y a pas de bicyclette sans cette roue motrice. Mais avec ça, il faut une roue avant. Une roue avant qui vous permet de vous guider à travers les obstacles, d'atteindre votre but, de vous rendre à bon port. Et cette roue avant, c'est la connaissance de l'homme. La connaissance qui va vous permettre d'aller un peu plus loin. De savoir ce que l'homme pense. De savoir ce qu'il veut dire. Ce qu'il désire. Quels sont ses rêves. Cette connaissance de l'homme a donné, depuis quarante ans, une nouvelle science en affaires. Une science dont vous avez entendu parler, au moins dans votre compagnie: la science du marketing. Le marketing, c'est quoi? C'est apprendre à ne pas se limiter à notre produit, notre service, à la façon de le produire, à la façon la plus économique de le livrer, de l'emballer. Le marketing, c'est se retourner de l'autre côté et de regarder l'être humain qui est votre client. C'est se dire que lui, le client, il veut acheter, il cherche à acheter, il cherche à obtenir la satisfaction d'un besoin. La réalisation d'un rêve. C'est de ce côté-là, qu'il faut regarder. De l'autre côté de la médaille.

Une pin-up à six heures du matin en hiver . . .

Un exemple que j'aime citer, un exemple pris dans le domaine extraordinaire des journaux: il y a quelques années, environ sept ou huit ans, un journaliste de Montréal qui possédait quelques hebdomadaires décide de lancer un quotidien du matin. Ce n'était pas le temps de le faire. Deux journaux venaient d'imprimer leur dernière édition. Celui d'un des fils Brillant et celui de Madame Du Tremblay. Tous les deux avaient fermé leurs portes après des pertes de quelques millions. On avertit donc ce jeune entrepreneur qu'il devait s'armer de plusieurs millions. Ce qu'il n'avait pas. Par contre, il avait beaucoup d'intelligence, beaucoup d'astuce. Il connaissait surtout le marché. Il s'est renseigné. Il a vu qu'une grande quantité de gens n'obtenaient pas dans les journaux ce qu'ils cherchaient à cette heure du matin.

Il a fait avec le *Journal de Montréal* ou le *Journal de Québec* un produit qui colle à une classe de gens.

Avez-vous déjà regardé un homme qui prend le métro, l'hiver, au mois de février ou en mars, après une tempête de neige ou de pluie, quand il y a de la glace, que c'est gris, qu'il est six heures du matin et que la vie n'est pas drôle. Transi, il vient de laisser sa femme et la chaleur du lit. Il s'engouffre dans le métro, avec sa boîte à lunch. Les yeux fermés, guidé par la senteur, sans regarder, il prend chez le dépositaire *Le Journal de Montréal*. Il ne l'ouvre pas. Il attend d'être assis. Sans ouvrir les yeux, il tourne les pages. Une, deux, trois, elle est là, à la page sept! « La pin-up ». Elle n'est pas nue. Elle est en maillot de bain, étendue sur une plage. Une toute petite phrase demande: « Quand est-ce que tu viens me voir? » C'est là, que notre homme ouvre les yeux et qu'il se dit: « C'est extraordinaire! Nous qui sommes dans la pluie! » C'est là qu'il commence à se réveiller. Ce n'est qu'après, qu'il revient à la page une. Et sur la page couverture, il ne trouve pas un long article intitulé: « L'influence de la guerre au Sud-Est asiatique sur l'approvisionnement du sucre en Amérique du Nord. » Non! Qui veut savoir cela à six heures du matin? Lui qui ne boit même pas son café sucré. Ce qu'il veut savoir, c'est si dans l'incendie de la rue Sainte-Catherine, hier soir, (on lui en a parlé à la télévision) il y a eu des morts. Pas besoin de lire. Il n'a qu'à regarder. Il est là, le mort. Il est tout noir. Il est laid. Il regarde ça et il se dit: « Mon Dieu! que ça a dû brûler. » Et s'il continue à feuilleter, il verra beaucoup de photos. Très peu de textes. A six heures du matin, personne ne veut lire. On veut voir. Les deux pages du centre ne sont que des photos. « L'actualité en images ». Et c'est le succès du journal! Ce n'est pas que Péladeau ait un sens extraordinaire du journalisme, non! Mais il a un sens extraordinaire du marché. En plus de connaissances techniques du journalisme, il connaît les besoins de l'être humain.

Le modèle T

Alfred Sloane jr a écrit un livre qui s'appelle: *Mes années chez General Motors.* En 1921, alors que Ford détient soixante-trois pour cent du marché de l'automobile et que G.M. n'en a que douze, il raconte avoir prédit qu'un jour G.M. aurait le dessus sur Ford. Tout simplement parce que Ford ne fait qu'une seule auto. Noire, intérieur gris, deux fanaux, deux portes: le modèle T. Chez G.M., on en a quatre: la Chevrolet, l'Ockland (l'ancêtre de la Pontiac), l'Oldsmobile et la Cadillac. Sloane avait compris que la réussite future de G.M. s'appuyait sur ces principes: celui qui, en 1921, s'achète une voiture, a des revenus qui dépassent la moyenne. Il a d'assez bonnes chances de réussir dans la vie. S'il s'achète une voiture, il est normal, il y a six chances sur dix pour qu'il s'achète une Ford. Mais le jour où il sera nommé gérant régional, à son retour à la maison, il annoncera à sa femme sa promotion. « Félicitations, dira-t-elle, mais il serait temps de changer de voiture. » Et ils iront bras dessus, bras dessous, acheter une plus belle voiture. Ils retourneront chez Ford.

— Bonjour madame, bonjour monsieur! Vous venez pour une voiture! Nous avons la voiture extraordinaire, le modèle T, pensé par Ford pour l'homme qui veut réussir!

— J'aurais aimé quelque chose de différent.

— Excusez-nous, mais Ford a pensé à vos goûts et à vos rêves; vous devez rêver au modèle T.

Notre acheteur alors se rend chez G.M.

— Bonjour monsieur, nous avons une voiture extraordinaire, la Chevrolet. C'est un petit modèle pour celui qui veut une voiture économique.

— D'accord, mais ça ressemble trop au modèle T.

— Evidemment que ça ressemble au modèle T, c'est un modèle de la même classe. Vous faites quoi dans la vie, monsieur?

— Je suis gérant régional.

— Ah! gérant régional... Alors, il vous faut une Ockland, une voiture un peu plus spacieuse, avec des couleurs un peu plus vives.

Et notre acheteur de retourner à la maison avec son Ockland. Un jour, il sera nommé gérant des ventes et ce jour là, de retour à la maison, il dira à sa femme:

— J'ai eu une promotion.

— Félicitations, il serait peut-être temps de changer de voiture.

Et bras dessus, bras dessous, ils iront directement chez G.M. Le vendeur, les reconnaissant, en conclura que les choses vont bien.

— Ah! gérant des ventes... Il vous faut une Oldsmobile. Une voiture extraordinaire! D'autant plus qu'un gérant des ventes fait beaucoup de route; il lui faut donc une voiture spacieuse.

Et notre acheteur retournera à la maison dans son Oldsmobile. Et un gérant des ventes a de bonnes chances de devenir président: même scénario que précédemment. Sa femme dira: « Félicitations! » Et chez G.M., pour un président, il n'y a qu'une voiture possible: la Cadillac. Sloane avait compris le scénario: Ford a vendu une voiture pendant que G.M. en vendait trois. C'est ce qui explique le succès de G.M.

« La jaune sera pour votre femme! »

Il est facile d'établir un parallèle avec une entreprise bien de chez nous qui fabrique des motoneiges. Au début, elles étaient toutes jaunes. Du même jaune. Cette entreprise occupait soixante-dix pour cent du marché et connaissait tout de la motoneige. Comment la fabriquer, la livrer, l'entreposer. Mais il lui manquait la connaissance du marché. Vers les années soixante-dix, une autre entreprise fait son apparition. « Quand vous désirerez une deuxième motoneige, quand vous serez fatigués de la jaune, quand vous voudrez une motoneige plus rapide qui file jusqu'à cent à l'heure, une motoneige qui recule, avec klaxon et démarreur automatique, quand vous voudrez une motoneige de luxe . . . la jaune sera pour votre femme! » C'était, à cinquante ans de distance, le même scénario. Celui que Sloane avait prévu. La deuxième entreprise s'est vite emparé du marché, comme l'avait fait G.M. Connaissance du coeur humain . . .

« Ne jetez rien! »

Je connais des gens qui ont des connaissances sur l'être humain et qui ne sont pas parfaitement habiles. Il ne leur manque qu'une chose: l'art de se servir de leurs connaissances. Trop de connaissances apprises par coeur. Pas assez de connaissances vécues. Ils n'ont pas appris à voir les applications. Ils n'ont pas appris à utiliser ce qu'ils venaient de lire dans le journal ou dans une revue. Ils n'ont pas appris à se servir de tous les arguments que nous suggère la publicité, à tirer profit d'une rencontre faite à un party du samedi soir. On raconte qu'Edison a découvert la lampe à incandescence et pourtant ce n'est pas lui: Edison a sauvé la découverte qu'un chercheur avait mise de côté. Edison en a vu l'application. Il a passé sa vie à trouver des applications pour des inventions que d'autres faisaient. Il avait monté un laboratoire dans lequel il avait réuni un grand nombre de chercheurs. « Cherchez n'importe quoi, leur disait-il, mais ne jetez rien sans me l'avoir montré. »

Faut-il réinventer la roue?

J'ai eu l'occasion d'aller au Japon. Le peuple japonais est extrêmement évolué. Mais ce qui m'a étonné le plus, c'est sa capacité à adapter les inventions des autres. Exemple: dans le domaine de la télévision, en 1973, les Japonais ont versé aux Etats-Unis soixante-cinq millions de dollars en droits d'exploitation. Et cela dans le but d'utiliser et d'exploiter des découvertes faites aux Etats-Unis, qu'ils revendaient ensuite aux ... Américains. La créativité, est-ce que c'est vraiment de réinventer la roue ou de lui trouver des applications?

2. La motivation

Le deuxième ingrédient de la réussite, un mot galvaudé, un mot pourtant très simple, c'est la motivation.

Vouloir. Ce que les Américains appellent le *killer instinct*. Le goût de gagner. Le goût de réussir. Le goût de s'en sortir. Beaucoup de gens ne savent pas qu'ils pourraient aller plus loin. Ils ne savent pas qu'ils pourraient continuer. Qu'ils ont tout pour gagner. Ils veulent être dans la moyenne. Ils ne veulent pas d'une grosse affaire. Il ne veulent pas être le meilleur vendeur et ils ne veulent pas être le pire. Parce qu'être le meilleur, c'est fatigant. Il y aura toujours de la concurrence et on risque d'être mis à la porte. Tandis qu'un homme dans la moyenne, c'est le moins bon des meilleurs et le meilleur des pires. Il est « né pour un petit pain ». On dit au Québec: un porteur d'eau. Et il portera de l'eau tant qu'il y aura de l'eau. Quand il n'aura plus d'eau, il ne portera plus rien. Il ne sait pas qu'il pourrait faire autre chose.

Un ballon, ce n'est pas fait pour jouer ...

Un entraîneur de football disait toujours: « Au football, ce qu'il y a d'extraordinaire, c'est qu'il n'y a pas de deuxième prix. Il y a un premier prix ou pas de prix du tout. » Tandis que nous, nous avons créé des deuxième, troisième, quatrième prix et ... des mentions honorables. Des espèces de façons de ne pas gagner et de ne pas perdre. Il faut se décider à gagner. Il faut se faire une mentalité de gagnant. Frank Tarkenton, l'un des bons quarts-arrières du football professionnel, disait: « Je gagne parce que j'ai la victoire en dedans. Je le sais au départ que je vais gagner. Et ce n'est pas moi qui a inventé cela. Mon premier entraîneur m'a dit, alors que j'étais haut comme trois pommes: "Eh! petit gars, ce n'est pas fait pour jouer, un ballon, c'est fait pour gagner." Evidemment, on ne gagnait pas toujours. » Et Tarkenton ajoutait: « Montrez-moi un homme qui perd avec le sourire et je vais vous montrer un homme qui perd régulièrement. » Quand on perd un client, on ne doit pas se dire: « On ne peut pas tous les gagner. » Dans son magasin, le samedi, lorsqu'il y a foule, on n'a pas le droit de dire: « Qu'est-ce que vous voulez! On ne peut pas s'occuper de tout le monde, il y en a trop. Beaucoup viennent pour rien. » Non! Les gens viennent, ils ne savent pas toujours pourquoi, mais ils ne viennent pas pour rien. Est-ce normal de perdre, de ne pas réussir toutes ses ventes, d'en perdre sept sur dix? Est-ce la loi de la moyenne? Le meilleur des pires ou le moins bon des meilleurs?

Le petit bout de la lorgnette

Si vous regardez à travers une « longue-vue » par le mauvais bout, vous ferez comme les enfants de l'histoire qui mettent des éléphants dans des petits pots avec une paire de pincettes. Il y a des gens qui voient tout par une « longue-vue » tournée du mauvais côté. Ils ont la lorgnette dans le mauvais sens. « L'hiver a été bon, mais le printemps sera dur! L'année a été extraordinaire, l'économie a pris un essor fantastique ... Oui mais bientôt on va avoir une dépression! » Il y a des gens qui attirent les malheurs. Dans un grand magasin de meubles, on m'a appris que le mois de décembre était un très petit mois. Un si petit mois, qu'on ne mettait rien à vendre dans le magasin. Il fallait prouver que c'était un très petit mois. Au mois de décembre, l'an dernier, on a décidé de corriger la situation. On a rempli les étages de meubles à vendre. Les vendeurs ont dit: « Ça ne se vendra pas. » Et les chiffres de vente ont été multipliés par quatre. L'attitude était fausse.

Une histoire de frites

A New York, un marchand de frites, bien situé et qui

vendait beaucoup, a envoyé son fils étudier dans une grande université. A Harvard. Quand son fils est revenu, il lui a proposé de venir travailler avec lui afin de faire de son entreprise une grande entreprise.

— Toi, mon fils, qui a étudié l'économie, dis-moi comment s'annonce l'avenir?

— Nous allons avoir une récession, c'est certain. Il faudrait diminuer la publicité et l'achat de pommes de terre.

Résultat: on a vendu moins de frites. L'attitude était fausse.

Chaussures et va-nu-pieds

Un marchand de souliers envoie en Afrique, parce que la population y est très grande, deux vendeurs. Et comme les transports en commun n'y sont pas très développés et que les Africains marchent beaucoup, il se dit qu'il doit y avoir un assez bon marché pour les souliers. Après un mois, le premier vendeur écrit à son patron: « Rien à faire ici, il n'y a pas un Africain qui porte des souliers. » Le lendemain, le second vendeur écrit: « Marché extraordinaire, il n'y a pas un Africain qui porte des souliers. » C'étaient les mêmes mots. Dans un cas, une affaire magnifique, dans l'autre, un désastre. Et les psychologues expliquent cela en disant que, malheureusement, trop de gens ne se rappellent que de leurs insuccès. On ne se souvient que des coups de pieds que l'on a reçus. Et la peur d'en « manger » d'autres fait que l'on reste assis. C'est une façon de s'immobiliser. De se figer dans une fausse attitude.

Le barracuda et la vitre

Dans le sud des Etats-Unis, on fait une expérience très intéressante à l'aide d'un barracuda. Dans un aquarium circulaire d'environ vingt pieds de diamètre, dans trois pieds d'une eau très claire, on jette un barracuda. Un poisson terriblement carnivore. On a même engagé un préposé aux

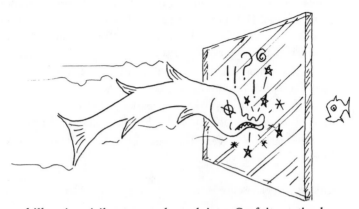

billets à qui il manque deux doigts. Ça fait partie du spectacle. Le barracuda n'a pas mangé depuis plusieurs jours. Et pour le prouver, on vend au visiteur de la nourriture à poissons. A peine a-t-elle touché l'eau, que le barracuda la fait disparaître. Après une demi-heure de ce jeu, deux gardiens déposent une longue vitre et séparent l'aquarium en deux. Du côté opposé à celui du barracuda, on jette un merlan que le barracuda adore. Dès que le merlan touche l'eau, le barracuda se lance à une vitesse incroyable sur la vitre. Elle vibre. Le sang monte à la surface. Et le barracuda s'élance ainsi plusieurs fois. « Bang » dans la vitre. Et il recommence jusqu'au moment où il comprend qu'une force inconnue l'empêche d'atteindre le merlan. Il s'élance encore et s'arrête tout près de la vitre. Il sait qu'il ne pourra pas la dépasser. Pendant ce temps, je ne vous dirai pas ce que fait le merlan mais il le fait. Le merlan se tord dans ses écailles, tellement il a peur. Au bout d'une demi-heure, le barracuda tourne toujours dans sa moitié d'aquarium en longeant la vitre. Les deux gardiens enlèvent la vitre. Le barracuda continue son périple: la vitre est inscrite dans sa tête. Il n'ose même plus essayer. Et vous, vendeurs! Avez-vous déjà pensé au nombre d'entreprises qui, dans l'édifice où vous travaillez, pourraient utiliser vos services si vous alliez les voir? Jamais! Vous préférez aller à dix milles.

Ç'aurait été trop simple. Vous vous croyez obligés de faire un long parcours!

Ils avaient une vitre dans la tête . . .

Dans une ville des Cantons de l'Est. Une entreprise qui vend des pièces d'auto. Les affaires ne sont pas très bonnes. Cinq autres entreprises vendent aussi des pièces d'auto dans la même ville. Après une étude du marché, on se rend compte que toutes ces entreprises font affaires à l'extérieur de la ville. Dans la ville même, très peu. On envoie les vendeurs dans les campagnes. On se croit obligé d'aller loin. Et si on essayait de gagner le marché à l'intérieur de la ville?

Résultat: trente pour cent d'augmentation en un an! On avait enlevé la vitre. Une vitre qui disait que les ventes devaient se faire à la campagne. C'était faux.

— Tu ne vas pas voir le gars d'en face?

— Non, il a l'air bête.

Et pour que les choses changent, il a fallu qu'un jeune, un nouveau, sorti frais émoulu de son entraînement, ait l'idée d'aller voir de l'autre côté de la rue! Il reviendra de là avec une commande de vingt mille dollars.

— Ça fait huit ans que je suis installé en face et jamais un vendeur n'est venu me voir.

Ils avaient une vitre dans la tête.

Des lecteurs qui s'embarquent . . .

Ils avaient oublié la question importante: le pourquoi. Pas le comment, mais le pourquoi. Quand on a la bonne attitude, le bon bout de la lunette, quand on veut gagner, si on ajoute à cela les connaissances dans le domaine du produit et des hommes et si on sait les appliquer, on a tout ce qu'il faut pour réussir. On a tout ce qu'il faut pour continuer. Mais si vous ne voulez pas, cessez de lire. Si résolument, vous n'avez pas décidé, en achetant ce livre, de gagner, si vous ne faites que le regarder . . . fermez-le. J'aimerais avoir moins de lecteurs mais des lecteurs décidés. Pensez-y cette nuit. Si vous avez le goût de réussir, vous continuerez demain . . .

L'homme de demain

Bon, vous avez décidé que vous vouliez réussir et que vous voulez poursuivre. Vous avez donc décidé de vous donner les ingrédients de la réussite. Ce que vous ne connaissez pas encore, c'est la taille du défi. A quoi ça ressemble être vendeur? Quel genre de profession est-ce? De quoi ça a l'air, une vie d'homme?

Vendre, ce n'est pas une profession comme les autres. Ce n'est pas une profession encadrée et bien délimitée. Au contraire, c'est vaste comme le monde. Vendre, c'est d'abord se « vendre » soi-même. Vendre, c'est une profession à la mesure d'un homme. Et pour vous rendre compte de vos chances de réussir (vous en saurez plus long quand vous aurez terminé ce livre), vous devez posséder un certain nombre de qualités. Les qualités de quelqu'un qui va rencontrer l'inconnu.

Pas certain de revenir . . ...

Il y a à peu près vingt ans, Kennedy annonce au Congrès américain son intention d'envoyer quelqu'un sur la lune. Pas lui, évidemment, mais quelqu'un d'autre, qu'il fallait trouver. Et après son discours, on nomma un expert chargé d'organiser le premier voyage vers la lune. Il aurait pu faire une demande dans la page des annonces classées ou dans la rubrique des carrières et professions: « Recherchons jeune homme, entre vingt-cinq et trente-cinq ans, pour faire voyage sur la lune, pas certain de revenir . . . » Ce n'était pas si simple. Nous étions devant le défi de l'inconnu. Nous savions que le sol de la lune était peut-être dur. Nous n'étions certains de rien.

— De toute façon, quand tu y mettras le pied, tu le sauras si ça cale. Et si ça cale, tu feras bloup . . . bloup . . . bloup . . . bloup . . . dans la poussière.

On avait très peu de données précises. Il nous était difficile de prévoir ce que ce serait de travailler hors du champ de l'attraction terrestre, sans poids, flottant dans le vide.

— Tu auras un gros casque. On espère que ce sera suffisant et si tu manques d'oxygène . . . tu feras heu!!! en aspirant fortement et ce sera tout.

Les qualités de l'homme de demain

De quoi avait-il l'air, celui qui voulait prendre ces risques? Comment était-il fait? Pour le trouver, on décida de faire la liste des qualités de l'homme de demain. L'homme qui ira dans la fusée, l'astronaute capable de se dépasser, devra posséder dix qualités de base. Ces dix qualités nous concernent tous. Vous, moi, et tous les humains sur terre qui veulent vivre la fin du XXe siècle et une bonne partie du XXIe. Quelles sont-elles? Je vous les donne en suivant l'ordre de leur importance.

   1 — S'accepter tel qu'on est
   2 — Etre souple
   3 — Avoir l'esprit ouvert
   4 — Etre indépendant
   5 — Etre sensible
   6 — Etre tenace
   7 — Etre réaliste
   8 — Etre prévoyant
   9 — Dire ce qu'on pense
10 — Etre curieux

1. S'accepter tel qu'on est

C'est, de toutes les qualités, la plus importante. C'est à partir de celle-là qu'on peut acquérir les autres. Elle consiste à se regarder dans un miroir et à se dire: « J'ai de la valeur . . . » Etre fier d'être soi-même. Comme mon beau-frère qui se plaît à répéter très souvent qu'il est content « d'être parent avec lui-même ». C'est ça. Etes-vous content d'être parent avec vous-même? Etes-

vous content d'être vous? Est-ce que vous n'aimeriez pas mieux être les autres? Etes-vous si peu content d'être vous que vous devenez agressif envers les autres, leur donnant les coups de pieds que vous ne pouvez pas vous donner: vous n'êtes pas fier d'être ce que vous êtes. Quand j'étais petit et que j'allais au catéchisme, on m'a souvent répété cette phrase: « Aimer son prochain comme soi-même. » J'ai mis des années à comprendre. Les gens ne s'aiment pas entre eux parce qu'ils ne s'aiment pas eux-mêmes. La première vente qu'ils ont faite, c'est à d'autres qu'ils l'ont faite et non à eux-mêmes. Ils auraient dû se la faire. Regardez l'autre et dites-vous que si vous êtes content d'être vous-même, vous aimeriez qu'il soit content d'être lui-même. Tout va changer.

Deux histoires d'oreilles

Maltz est un chirurgien de chirurgie plastique qui a passé sa vie à refaire des visages, à réajuster des membres, à reprendre les imperfections mineures ou majeures qui dérangeaient ses clients. Il raconte deux histoires. Celle d'un monsieur qui est venu le voir pour se faire retoucher les oreilles: « Franchement, j'ai les oreilles si décollées que je ne puis pas être heureux. Je ne puis pas me trouver beau. Je vous supplie de m'opérer les oreilles. » Et Maltz ajoute que son client avait les oreilles à peine décollées. Mais comme c'était là « son » problème, il lui rapprocha les oreilles. Trois mois plus tard, le client revint complètement

transformé. Vêtements sport, large sourire, coiffure nouvelle, il parlait avec emphase de l'avenir et de son travail où tout allait pour le mieux. « Maltz, c'est extraordinaire! Vous changez les oreilles d'un homme et vous le changez au complet! »

L'autre histoire est aussi une histoire d'oreilles: « Docteur, moi, c'est les oreilles. De vraies feuilles de choux. Je ne suis pas capable de travailler, je ne suis pas capable de m'aimer, je suis infirme, docteur. » Et Maltz, qui ne les trouvait pas exagérément écartées, lui fit l'opération. Trois mois plus tard, le client revient. C'est la catastrophe. « Docteur, ça n'a pas marché, elles sont encore décollées. On peut dire que c'est une opération qui n'a pas réussi. Je suis triste, docteur. » Et Maltz aussi était triste. Parce qu'il savait que son client avait les oreilles légèrement plus collées que la moyenne des gens. Mais qu'il ne le savait pas. Maltz décida d'étudier de plus près le phénomène et il en rendit compte dans un livre que je vous recommande: *Psycho-Cibernétique*. Chaque homme a à l'intérieur de lui-même une image de soi et un mécanisme qui tente de la réaliser. Vous vous faites de vous-même une image juste ou fausse et un mécanisme semblable à celui qui guide les fusées tente d'atteindre la cible. Si vous décidez que vous êtes laid, un mécanisme intérieur tentera de vous prouver constamment que vous êtes laid. Et il vous donnera raison: « La vente, ce n'est pas mon domaine. La preuve, c'est que si j'essaie d'en faire une, je la manque. Patron, vous voyez bien que je ne suis pas bon dans la vente de ce produit-là. » Au contraire, une image de réussite fera que vous réussirez merveilleusement. La plupart des gens ont une fausse idée d'eux-mêmes et ils ne se voient pas tels qu'ils sont. Ils ne connaissent pas leurs qualités parce qu'ils mettent trop de temps à analyser leurs défauts, leurs défaites. Ils ont d'eux-mêmes une image tronquée. Ils ne font pas confiance aux talents qu'ils ont et qu'ils ne veulent pas reconnaître. Ils ne sont pas contents d'être parents avec eux-mêmes.

« Garde-la donc, ta pelle! »

Un couple décide d'aller faire une ballade en automobile, un après-midi d'orage. Ils s'aventurent sur une route secondaire et s'embourbent. Incapables de sortir de l'ornière. Au loin, une maison de ferme. « Reste dans l'auto, je vais aller chercher une pelle. » Sur le chemin boueux qui mène à la maison, notre homme s'interroge: « Je ne sais pas si le fermier va me la prêter, sa pelle, il ne me connaît pas! Comme je suis loin, une fois sorti du trou, je mets la pelle dans ma valise, et adieu, la pelle ... A sa place, je ne la

prêterais pas, de peur de me faire voler. Pas question de lui demander de venir m'aider par un temps pareil! Moi, je ne le ferais pas. Tu as voulu t'aventurer sur un chemin boueux, débrouille-toi! » Rendu à la maison, dès que la porte s'ouvre, à la personne qui lui demande ce qu'il veut, il dira: « Garde-la donc, ta pelle! »

On a demandé aux astronautes de faire attention aux images de défaite. A partir d'aujourd'hui, vous serez le vainqueur.

2. Etre souple

C'est une qualité qui découle directement de la première. Dès qu'on a accepté sa propre image, on devient souple. Les différentes situations qui se présentent ne sont plus perçues comme des problèmes mais comme des solutions. Rappellez-vous ce slogan publicitaire: « On ne vend pas des problèmes, on vend des solutions. » En plus, on ne craint plus de changer d'idées. On

ne résiste plus aux changements. On sort de l'insécurité qui nous enferme dans les idées toutes faites qui nous ont été répétées. Tout le monde sait que c'est le propre de l'homme d'action de changer d'idées et pourtant chacun reste fixé par le temps. Comme si l'histoire avait pour but de figer le présent. Pris dans un pain. Quel plaisir c'est pourtant de rencontrer des gens assez souples pour changer d'idée quand ils en rencontrent une meilleure. Combien de familles ont été « libérales » ou « conservatrices », pendant des générations, comme si c'était un péché de changer. Regardez vivre les enfants. Ils s'adaptent. L'art de s'adapter. Ce sera notre défi à l'avenir.

3. Avoir l'esprit ouvert

Il faut d'abord bien comprendre ce que les gens disent. Ne pas toujours essayer de supposer qu'ils disent autre chose que ce qu'ils veulent dire: votre patron vous dit: « Bonjour! » c'est qu'il doit être de mauvaise humeur parce que, d'habitude, il dit « Salut! » C'est possible qu'un jour, il soit fatigué ou écoeuré et qu'il s'en prenne à vous. Pas parce que c'est vous, mais tout simplement parce que vous êtes le premier à le rencontrer. Rappelez-vous l'histoire de l'individu qui n'osait plus regarder le football à la télévision, parce que pendant que les joueurs faisaient leur « caucus », il avait l'impression que c'est de lui qu'on parlait.

Autre histoire: ma belle-soeur semblait toujours me prêter des intentions cachées, elle allait jusqu'à penser que j'avais des visées sur les gens. Alors, un jour, je lui ai dit: « Ecoute-moi bien, je vais te dire quelque chose. N'imagine pas autre chose. Je vais te dire exactement ce que je veux dire. Il n'y aura pas de sous-entendu là dedans. Ouvre tes oreilles, je vais te le dire, le mot de Cambronne. » Dans d'autres circonstances, elle aurait pensé que je voulais dire autre chose. Ici, c'était sans équivoque. On a demandé aux astronautes de penser que lorsqu'un individu dit non, ça peut vouloir dire non. A trois mille milles de la terre, si on vous dit de tourner à gauche, n'essayez pas de savoir ce que les mots pourraient vouloir dire et si celui qui vous donne l'ordre vous aime ou ne vous aime pas. Tournez légèrement à gauche. Toute la communication entre l'équipe qui file vers la lune et celle qui, sur la terre, essaie de l'aider, est basée sur cette confiance. Ne pas prêter de mauvaises intentions aux autres. Prendre les choses simplement. Etre ouvert.

4. Etre indépendant d'esprit

Tout le monde en parle. Tout le monde veut être indépendant. C'est la grande vogue. Et si on se demandait ce que cela veut dire! Etre indépendant, c'est penser par soi-même. C'est cesser de se laisser influencer. C'est être capable de poser des questions au patron: « Patron, je ne suis pas encore acquis à votre idée. Je pense que ce n'est pas bien ce que l'on fait au client. » C'est être capable de poser des questions à celui qui a créé le système. Comprendre pourquoi il l'a fait. Comprendre l'esprit et non la loi du système. C'est ça, être indépendant. C'est être capable de poser des questions au fournisseur qui n'essaie pas toujours de vous jouer, qui, lui aussi, fait des erreurs. « Donner la chance au coureur. » Et se la donner à soi-même. Regarder les choses en face. Etre capable de juger par soi-même. Lire deux ou trois journaux pendant deux ou trois semaines, afin de mieux connaître la vérité. Parce que, très souvent, les journaux ne rapportent pas des faussetés, mais seulement des parties de vérité. Aller voir son patron ou un client et lui dire ouvertement que l'on ne partage pas complètement son idée: « Je la respecte mais j'aimerais vous poser quelques questions. » L'indépendance d'esprit, c'est la qualité de l'homme mûr. L'idée de l'indépendance au Québec, ce peut être un signe de maturité. Tous les peuples du monde aspirent à se libérer des influences et à faire les choses par eux-mêmes. Etes-vous capable de dire: « Monsieur Chaput, vous vous trompez »? Vous vous devez de demeurer critique. De sauvegarder votre indépendance.

5. Etre sensible

Sensible aux autres. Etre capable de sentir que les autres sont malheureux. Que les autres souffrent, même s'ils ne portent pas une pancarte avec l'inscription: « Je souffre ». Depuis des années, Oxfam s'occupe du problème de la faim dans le monde. On se disait que ce n'était pas possible: « On peut toujours s'en sortir, se trouver un morceau de pain, se faire un jardin. » Mais lorsque Radio-Canada a diffusé un film qui avait été fait en Ethiopie, les gens ont été atterrés. « Mon Dieu! ». Ils voyaient des morts. Des tombereaux de morts. Des hommes morts de faim. « Ce n'est pas possible. » Sur ce mot, les gens se sont mis à envoyer leur chèque à Oxfam. Ça a été extraordinaire. Puis, graduellement, les chèques ont cessé d'arriver. Les gens se sont habitués. Pour les réveiller, il leur faudra encore quelques tombereaux de morts.

L'empathie: la qualité de l'homme de demain qui aura de plus en plus à vivre avec ses problèmes sociaux, à vivre côte à côte avec d'autres humains. Embarquer les uns à côté des autres. Exister. Co-exister.

Le cornet de crème glacée

Un enfant se prépare à traverser la rue, un cornet de crème glacée à la main. Il trébuche en quittant le trottoir et laisse échapper sa crème glacée. Il se met à pleurer. Si vous vous sentez sympathique, vous n'aurez rien d'autre à faire que de pleurer avec lui sur son malheur. Si au contraire, vous éprouvez de l'empathie, vous lui direz ceci: « Tu as raison de pleurer, mon petit gars, c'était une belle boule que tu commençais à peine à lécher; tu as raison aussi parce que les trottoirs sont malheureusement faits pour les grandes personnes. Tiens, voilà quelques sous. Va t'en chercher une autre. » Vous aurez su vous mettre dans sa peau. « Moi, si j'étais un enfant, je serais triste de perdre une aussi belle boule.» Comprendre les problèmes des autres, ce qu'ils ressentent, ce qu'ils ont dans la tête. Ne pas juger l'enfant: « Petit sot! Tu devrais regarder où tu marches, la prochaine fois, lève les pieds. » Etre capable de l'aider, parce que vous connaissez son problème et parce que vous ne le jugez pas.

La compagnie américaine A.P. Mufflers avait comme slogan publicitaire: « Don't sell me, help me and I will buy. » « Ne me vends rien, aide-moi et je vais acheter. » Cette compagnie savait ce qu'était l'empathie.

6. Etre tenace

Les Américains se servent d'un mot qui veut tout dire: « to tough ». Etre capable d'aller jusqu'au bout. Etre capable de donner plus ... La compagnie Dartnell a fait un film qui porte

le titre suivant: *The Second Effort*. Dans ce film, Vince Lombardi, qui a été l'entraîneur des Packers de Greenbay, fait des comparaisons entre vendre et jouer au football. Tout le film tourne autour de cette notion du « deuxième effort ». C'est-à-dire de l'effort supplémentaire, celui qui permet d'aller juste un peu plus loin: « La différence entre un champion de boxe et un non-champion, c'est un round de plus. Jusqu'au dixième round, nous étions égaux. Au onzième, j'ai été capable de frapper. Je suis resté debout. » La ténacité, c'est la capacité d'aller plus loin que l'on aurait cru pouvoir aller. De se dépasser. Mon travail, disait Lombardi, c'est de convaincre tous les jours mes joueurs qu'ils sont meilleurs qu'ils ne le pensent.

La falaise

Le *National Geographic Magazine* a fait pour la télévision américaine une série d'émissions sur la vie sauvage intitulée *Wilderness*. Vingt jeunes représentant toutes les classes de la société américaine, des délinquants, des ouvriers, des étudiants, avaient été réunis et devaient accomplir une tâche qui leur donnerait l'occasion de se dépasser. Le groupe que j'ai vu devait escalader une haute montagne du Pérou. L'entraînement durait six semaines. Ce qu'ils devaient apprendre, c'était d'aller un peu plus loin qu'ils n'avaient prévu. Un jeune garçon suspendu dans une chaise de corde, le long d'une falaise escarpée. Le moniteur, sachant qu'il n'y a aucun danger, lui dit de se laisser aller et de ne pas se retenir par les mains à la falaise. L'enfant qui a peur n'ose pas lâcher. Le moniteur s'approche et menace de lui écraser les doigts. L'enfant tombe au fond de sa chaise suspendue et constate qu'il n'était pas en danger. Il vient de se dépasser. Dans la vente et dans la vie de demain, nous allons tous devoir nous dépasser. Nous devrons mieux connaître nos limites. Avoir la tête dure. Ne pas fuir. « Si le mariage ne marche pas, je la laisserai là et je lui payerai une pension alimentaire . . . » « Si mon travail ne marche pas, je vais en trouver un autre . . . » Non! Etre tenace, c'est trouver la solution.

7. Etre réaliste

Voir les choses bien en face. Saisir des problèmes réels. « Je me suis mis "les pieds dans les plats" ... mais comme j'ai des souvenirs de réussite, je vais corriger l'affaire. » Ça, c'est difficile. Combien de vendeurs se racontent des histoires. Comptent pour trois réussites la même vente. La première, lorsqu'ils rencontrent le client: « Je n'ai pas la commande, mais je viens de faire une vente. » La deuxième, trois semaines après, lorsque le client signe, en entrant au bureau: « Je viens de réussir une vente. » Et la troisième, trois semaines après, lorsqu'il reçoit sa feuille de livraison de la marchandise: « Bravo! je viens de faire une autre vente. » Etre réaliste, ce n'est pas bâtir des rêves, c'est réaliser. Et c'est commencer tout de suite: pensez à l'histoire de celui qui veut se construire une table. Lorsqu'il descend dans son sous-sol, il se dit: « Pour faire une bonne table, il faut un établi. » Et comme l'établi ne sera pas parfait, il ne commencera jamais sa table. Il y a des gens dans la vie qui attendent que tout soit parfait et qui ne font jamais rien. Pourquoi attendre que ce soit parfait? Allez-y. Mais regardez les choses en face. Regardez le côté simple des choses. Elles ne sont pas toujours aussi compliquées qu'on le pense. Rechercher les situations simples. Toujours aller un peu plus loin.

8. Etre prévoyant

Prévoir, c'est voir en avant. Il y a des gens qui me surprendront toujours. Ils ne savent pas où ils vont. Ce qui me semble la meilleure façon de ne jamais se rendre. Vous vous en allez et vous ne savez pas où. Vous ne vous rendrez jamais à cette place-là.

Avoir un objectif.

Ecrire des choses pour les voir . . .

Un jeune ouvrier travaillait aux Etats-Unis, comme balayeur dans une aciérie. Et, un jour, il eut cette idée folle: « Mon Dieu! que j'aimerais être propriétaire d'une aciérie! » Le soir même, il prit une feuille de papier et écrivit: lettre A: que j'aimerais être propriétaire d'une aciérie. Et il écrivit tout ce qu'il devait réunir pour construire son aciérie. Il se rendit compte qu'il ne pouvait tout faire seul. Le lendemain matin, il demanda à un confrère de l'usine:

— Ça ne te tenterait pas d'avoir une aciérie?

— Oui, mais avec ma quatrième année!

— Ça fait rien, on peut en parler. Viens chez moi ce soir . . . on va regarder ça. J'ai commencé à prendre des notes.

Progressivement, ils montèrent un dossier avec l'aide d'ingénieurs. Deux années après, ils possédaient le dossier complet d'une aciérie. L'implantation de l'usine, le marketing, tout y était. Il ne manquait qu'une chose: l'argent. Ils rencontrèrent un investisseur qui trouva le projet intéressant. Et le jeune balayeur eut son aciérie, la U.S. Steel. Actuellement, c'est la plus grosse au monde. Andrew Carnegie, c'est le nom de ce jeune audacieux. Il fit écrire un livre sur sa recette. Comment réussir. Prévoir.

Vous avez un projet? Couchez-le sur le papier. Vous le voyez maintenant?

Un bateau bleu avec une quille blanche

— Moi, j'aimerais ça avoir un bateau.

— Quelle sorte de bateau?

— Ah! un bateau . . . un bateau . . . qui va sur l'eau.

— Oui, tous les bateaux vont sur l'eau. Mais il a l'air de quoi, ton bateau? Est-ce qu'il est gros, grand, bleu, rouge?

Vous ne l'aurez jamais votre bateau, sauf si vous décidez que vous le voulez, si vous commencez à le voir . . . Vous commencez à aller voir des bateaux. Et il se précise. Il a vingt-sept pieds de long. Il est bleu. La quille est blanche. Les voiles sont rouges. Vous le voyez? Vous avez quatre-vingt pour cent de chances de le posséder un jour. Il faut d'abord pré-voir.

Il m'arrive de faire des tests avec des jeunes:

— Deux, trois ans après la fin de vos études scolaires, quel devrait être votre salaire?

— Dix mille dollars, ça serait pas mal!

— Alors, j'écris dix mille au tableau et je déplace la virgule en ajoutant un zéro, ce qui donne cent mille au lieu de dix.

— Eh! eh! ce n'est pas pour moi, cent mille . . .

— Très bien, je réécris dix mille.

Qui rêve de dix mille n'aura que dix mille. S'asseoir aujourd'hui et imaginer, sur une feuille de papier, de quoi on aura l'air dans cinq ans. Se vendre à soi-même quelque chose.

9. Dire ce qu'on pense

On a demandé aux astronautes d'être spontanés comme le sont les enfants! De dire exactement ce qu'ils pensent. D'abandonner les détours qui nuisent aux relations humaines. Ne pas aller voir un tel, uniquement par stratégie. Cette attitude est tellement ancrée dans nos moeurs, qu'on en a fait une profession: le droit. Deux personnes qui ont un problème engagent deux autres personnes pour le régler. Alors les deux premiers ne se parlent plus. Sauf par personne interposée. La société est ainsi faite. Mais les enfants ne passent pas par des avocats. Ils communiquent directement leurs sentiments. Sans crainte. Parce qu'ils ont raison. Et s'ils n'ont pas raison, ils changent d'idée.

Cinq minutes après . . .

L'enfant qui désire une bicyclette, un samedi matin:

— Papa, tu vas l'acheter aujourd'hui ma bicyclette, hein papa!

— Oui . . . oui, laisse-moi manger mes toasts.

Cinq minutes après:

— Papa, tu vas l'acheter bientôt ma bicyclette, hein, parce que je pourrais jouer avec, aujourd'hui, c'est samedi!

— Oui, oui, je mange mes toasts.

Cinq minutes après:

— Papa, mon ami Léo est avec moi, on va t'attendre dans l'auto, si tu venais . . .

— Oui, oui, je mange mes toasts.

— Papa, si tu venais tout de suite pour la bicyclette, tu pourrais manger tes toasts en paix, après . . .

Sans crainte, parce qu'il a raison.

10. Etre curieux

Poser des questions. Non seulement sur la façon de faire des choses. Mais demander « pourquoi » on fait telle chose. Les gens de demain sauront poser les pourquoi. Demain, ceux qui savent comment vont encore travailler pour ceux qui savent pourquoi. Pourquoi, je fais telle ou telle chose? Pourquoi, je le fais de telle ou telle façon? Pourquoi telle formule? Pourquoi tel genre de rapport? Pourquoi le patron exige-t-il que je sois là à huit heures le matin? Pourquoi ma femme, pourquoi mon enfant, pourquoi les enfants posent-ils quatre cents questions par jour? Un enfant pose quatre cents questions par jour, l'étudiant quarante . . . et l'individu de quarante ans, quatre par année! Il ne se pose plus de pourquoi. Il tourne dans l'aquarium. Nous avons été élevés avec des comment. Nous savions comment faire les choses, mais pas pourquoi. La génération qui nous « pousse dessus » dans les entreprises, celle qui nous « pousse dessus » à la maison, celle qui nous dit: « Mais pourquoi? », cette génération nous donne une grande leçon. Elle est en train de nous éduquer. Nous faisons des choses sans raison. Nous disons des choses sans raison. Il est temps que nous nous en rendions compte.

Le choc du présent

Le grand défi de l'avenir, ce n'est pas la pollution dans le monde, la faim dans le monde, la surpopulation. Non! le plus grand défi de l'avenir, ce sera le changement. Savoir que les choses vont évoluer et très très rapidement. Il a toujours existé, le changement. Depuis que le monde est monde. Sa grande caractéristique, aujourd'hui, c'est l'accélération. Regardez comment vous évoluez. Au départ, vous avez un besoin. Vous, moi, tout le monde. Ce besoin cherche à être satisfait. C'est un problème qui demande une solution et, inévitablement, un changement qui, eux, amènent un nouveau besoin, un nouveau problème, une nouvelle solution et un nouveau changement. Ainsi la roue tourne.

Le jardin de mon père

Le premier Canadien se construisit une maison pour satisfaire un rêve. Le rêve d'avoir une maison face au fleuve. Les murs avaient quatre pieds d'épaisseur et supportaient des poutres énormes. La maison de demain. La vraie maison qu'il voulait. Il résolvait un problème. Son arrière-petit-fils décida de construire un nouveau type de maison. A quinze ou vingt pieds de l'ancienne. Face au fleuve. Il la construisit pour deux ou trois générations. Aujourd'hui, on calcule, aux Etats-Unis, qu'un couple changera sept à huit fois de maison durant sa vie. C'est une question d'accélération. La dynamite, découverte au 12e siècle, n'a été utilisée qu'au 14e pour faire la guerre. Ça a pris deux cents ans. L'atome rendu fissible en 1939 était utilisé cinq ans plus tard en 1944. Cinq ans au lieu de deux siècles. Le changement lent n'est pas fatigant, mais son accélération l'est. Ce que nous voyons aujourd'hui dans une ville sera disparu dans cinq ans. Un jour, j'ai essayé de retrouver les lieux de mon enfance, Rosemont. Tout a changé: le jardin que mon père cultivait dans le champ a cédé la place à une usine; la carrière, où j'allais me baigner, à l'insu de la police, a été remplie. C'est l'édifice du journal *Montréal Matin* qui en occupe les lieux.

Les couches pour bébé et la pilule

Il y a quelques années, dans le domaine des papiers, les manufacturiers ont découvert un nouveau marché: le marché des couches pour bébés. Plus de lavages. On fit appel à des ingénieur pour construire des machines à fabriquer les couches de papier. Ils travaillèrent durant un an. Un an et demi après, les machines étaient prêtes à fonctionner. Deux ans et demi après l'idée. Mais déception. La pilule était née sur le « marché », les bébés avaient diminué d'autant. Moins de bébés, moins de couches et vous pouvez vous acheter une machine à fabriquer des couches à prix réduit.

L'accélération du changement nous a fait prendre conscience que tout était éphémère. Plus les choses changent, plus l'idée de durabilité perd du terrain. Nous parlions de la couche de papier. Pensez à la robe de la mariée sur laquelle la couturière mettait un temps fou. Trente pieds de traîne. Aujourd'hui, une robe de mariage dure le temps de la cérémonie. Elle se trouve dans le grand magasin le plus proche de chez vous. Elle aussi est faite de papier. Et dire que ma mère a gardé mon trousseau de baptême! A Miami, on construit des hôtels qui seront démolis et remplacés dans dix ans. On a même déjà calculé la valeur-rebut des matériaux. Le montant du prix des ascenseurs a été déduit parce que le fabriquant viendra les chercher quand l'hôtel sera rasé et remplacé. Ah! nous sommes loin de l'époque des maisons construites pour durer des siècles.

Un lapin en peluche

L'idée que tout est éphémère a changé notre attitude et nos sentiments. Ma fille avait un lapin en peluche dont elle tétait les oreilles le soir pour s'endormir. Nous avons essayé plusieurs fois de le remplacer par un neuf. Notre fille a toujours refusé. Son lapin avait un goût particulier. C'était sa vie. Elle témoignait à son lapin une loyauté à toute épreuve. Pourtant, aux Etats-Unis, la compagnie Mattel, qui fabrique des jouets d'enfants, a, avec sa célèbre Barbie, complètement transformé le rapport que les fillettes entretiennent avec leurs poupées. Mattel a proposé aux enfants de trois ou quatre ans de se rendre eux-mêmes au magasin, afin d'échanger leurs vieilles poupées contre des neuves. Rien n'est fait pour durer. Et je souris toujours lorsque j'entends un vendeur dire: « Eh oui! madame, vous avez là un tapis extraordinaire, qui peut vous durer au moins vingt ans . . . » Et la dame déconfite: « Ah! vingt ans . . . » Elle ne veut pas d'un tapis qui durera aussi longtemps. Elle veut, dans cinq ans, refaire sa décoration, changer les meubles, le tapis et . . . la maison.

L'épicerie du coin et le supermarché

Tout devenant de plus en plus éphémère, on en arrive au « superchoix ». On fabrique de plus en plus de produits. C'était facile dans le temps de s'acheter une boîte de fèves au lard. A l'épicerie du coin, il y en avait deux sortes. Mais aujourd'hui, au supermarché, au rayon des fèves au lard, vous aurez le choix entre au moins dix marques. A la mélasse, brunes, foncées, moins foncées, plus foncées. « Superchoix ». Les gens auront de plus en plus à prendre des décisions. Le changement a mis l'accent sur un défaut qui devient grave: l'indécision. Il y a tellement de carrières offertes aux jeunes, qu'ils ne savent plus laquelle prendre. Dans notre temps, c'était plus simple. Il y avait d'abord les carrières libérales: la médecine, le droit et la prêtrise. Il y a trente ans, naissaient les carrières d'ingénieurs et celles des sciences humaines. Aujourd'hui, la médecine et le droit se diversifient. Si vous aviez dit à votre père que vous vouliez devenir anthropologue, il vous aurait fait examiner. Aujourd'hui, les jeunes s'intéressent à la futurologie. « Superchoix » des carrières, « superchoix » des modes de vie. Et, malheureusement, plusieurs professions sont restées figées dans l'histoire. La profession des notaires, par exemple. L'accélération de toutes choses les a rendues éphémères et a augmenté nos choix.

La révolution russe, déjà cinquante ans

La société change et nous constatons dans nos vies de plus en plus d'anachronismes. Des disjonctions. Entre la politique et l'économie. Nous vivons dans un régime démocratique, une invention des Grecs. D'autres pays ont choisi la dictature. D'autres, le socialisme. La révolution russe, déjà cinquante ans! Nos institutions parlementaires. Nos juges avec leurs perruques. Notre gentilhomme à la verge noire. Et, à côté de cela, une économie qui vit de structures qu'on ne pouvait imaginer, il y a quelques années. Politique du plein emploi et on parle d'un taux « normal » de chômage. Contradiction. L'inflation est un fléau et l'on parle, aujourd'hui, d'un taux « normal » d'inflation. Les grandes corporations ont changé leurs modes de management. Elles deviennent de plus en plus responsables de la société qui les entoure. Une autre disjonction: la société évolue dans un sens et l'économie dans l'autre. Contradictions. En 1900, quarante-deux pour cent de la population vivait dans les villes. Et on prédisait pour elles un avenir extraordinaire. Soixante-dix ans après, soixante-dix pour cent des gens vivent dans les villes. Mais en 1985, vingt-cinq pour cent seulement des gens vivront dans les villes: ils vivront en banlieue, tout autour des villes. Nous devons repenser à restructurer la ville. Et si les gens ne doivent pas y demeurer, il serait inutile de trop se préoccuper de son avenir. Ce qui semblait être bon pour tous n'est plus nécessairement vrai. Les socialistes et les syndicats disaient: il faut que tous les ouvriers aient la chance de s'acheter une automobile. Hitler l'avait dit, lui aussi; l'auto du peuple, la « Wolkswagen », avait été pensée pour répondre à ce besoin. Aujourd'hui, depuis que nous avons pris conscience du problème de la pollution, certains pensent qu'il n'est pas bon que tous aient une auto. Nous devrons perfectionner les transports en commun. Ce qui semblait nécessaire hier ne l'est plus. Autre disjonction: les cultures. Dominique Michel annonce les « Quatorze soleils », et moi je dis aux jeunes: « La ténacité, le travail, faire la parade . . . » D'un côté, le travail et de l'autre, « Voyagez maintenant, payez plus tard. » Visitez des pays: l'industrie la plus importante du Québec, c'est l'industrie touristique, et pourtant . . .

La qualité de la vie

La société a changé et l'homme de cette société aussi. On ne meurt plus aussi jeune. Malthus ne s'était peut-être pas trompé. Les gens naissent plus nombreux, meurent moins en bas âge et vivent plus longtemps. La gérontologie est née de ce phénomène. Mon grand-père est mort à soixante-huit ans. Mon père se rendra à quatre-vingt-dix. Qu'est-ce qu'on fera de lui, de soixante-dix à quatre-vingt-dix? Si l'homme change, le marché change. Dans le temps, on parlait de santé lorsqu'on était malade. Mais, aujourd'hui, la télévision en parle tous les jours; elle traite des obèses (j'en suis), des nains, du système nerveux, du stress. On parle de santé partout. Avant, c'était pour dire qu'on l'avait perdue.

Aujourd'hui, on parle de la conserver. Quand j'étais jeune, on pratiquait les sports parce qu'on aimait ça. Maintenant, on pratique des sports ennuyeux: courir autour d'une piste, faire du « jogging ». On fait du sport pour être en santé. On met l'emphase sur le bien-être. On se préoccupe beaucoup plus du lien qui existe entre le physique et la santé psychologique. L'homme travaille de plus en plus avec son corps et avec sa tête. Il sent que c'est un tout. Il s'instruit de plus en plus. Jusqu'à la mort. Avant longtemps, nous aurons tous notre année sabbatique. Les débardeurs l'ont demandée. Une année de recyclage pour repenser à sa vie. Une année pour réfléchir. Mon père a travaillé pendant trente ans au Canadien Pacifique, sans avoir une semaine de vacances. Et, en plus, on parle de travail « enrichissant ». Travailler, ce n'est plus seulement une question de gagner de l'argent. C'est aussi une question de faire un travail d'homme. Un travail intéressant.

La génération qui pousse derrière nous veut savoir pourquoi, et non seulement comment. Elle veut tout savoir de la qualité de la vie. Elle veut vivre et non seulement exister. Elle veut vivre à un endroit où l'homme pourra se retrouver. Dans un milieu sain et agréable. Loisirs, sports, jeux organisés, maisons de vieillards. Rapide évolution. La recherche du vrai. On est las des imitations. On veut des meubles en plastique qui ont l'air du plastique. Quand ça aura l'air du bois, ce sera du bois. Retour à l'artisanat. Retour à l'original. Quand je me promène en Gaspésie et que je vois tous les « petits violonneux » sculptés, tous semblables, je dis non! Réaction contre la société de consommation: « Vous, les parents, vous êtes pris par votre vie. » Moi, je veux vivre ma vie. Je ne veux pas me laisser intégrer par le système. Je veux en être le centre. Pas l'argent, pas la machine, pas le travail. Moi, je commence à faire ce que j'aime. » De plus en plus, on voit des entreprises se tourner vers les individus. Reconnaître que la chose la plus importante de leur organisation, c'est l'homme. Une compagnie d'assurance fournit des services psychiatriques à son personnel, une autre, des services psychologiques. Parce que, pour elles, les employés ont pris la première place.

Ralph Nader s'occupe de lui

La vie change. La femme maintenant travaille. La vie de famille se fera autour de deux vies professionnelles Tous les deux auront des diplômes universitaires. Les jeunes ont leurs magasins: « Je ne veux pas aller dans le magasin de mon père. Je veux aller dans "ma" boutique unisexe. » Le style de vie change.

L'individu a besoin de protection: Nader s'occupe de lui. Lois contre la publicité frauduleuse, les ventes frauduleuses, lois pour la sécurité automobile. Nader a réussi à forcer une corporation qui vend pour au-delà de vingt milliards par année à retirer du marché plusieurs de ses automobiles, à améliorer la sécurité du chauffeur et des passagers. Impensable, il y a vingt ans. Dans un magasin de meubles où je travaille régulièrement, on a reçu une réclamation d'une cliente qui a acheté un vaisselier dont la tablette a cédé sous la charge. Cette dame s'est rendue à la cour . . . et elle a gagné. « Quand on vend un vaisselier, de dire le juge, il doit porter la charge qu'il prétend porter. » Autre changement: nos revenus se sont accrus. Nous avons de l'argent de poche. Lorsque nous avons fini de manger, de nous habiller, de nous chauffer, il nous reste de plus en plus d'argent. Comme disait si bien ma mère: « Il t'en reste pour t'acheter toutes sortes d'affaires inutiles »; qui semblent inutiles et qui pourtant nous aident à avoir une vie personnalisée. Le marché du sport, des voyages, l'explosion touristique d'après la guerre. Au mois de mai, déjà, à Montréal, il est difficile de réserver un billet d'avion pour la Floride. Il n'y a plus de billets disponibles pour la veille ou l'avant-veille de Noël.

La société de consommation

La science des marchés, le marketing, nous apprend des principes auxquels nous devrons réfléchir dans le futur. Plusieurs tiennent déjà compte des rêves neufs des gens de demain. Au siècle dernier encore, celui qui voulait une paire de souliers se rendait chez le cordonnier. Ce dernier prenait ses mesures et donnait rendez-vous quelques semaines plus tard à son client. On fabriquait sur commande. Le marché était limité. Les Anglais se rendirent compte les premiers qu'il n'était pas nécessaire d'attendre le client. Ils se mirent à fabriquer pour l'inventaire. Mais ils n'avaient pas prévu quel serait le nombre de pieds à satisfaire et fabriquèrent plus de souliers qu'il n'y avait d'hommes. Ils eurent des surplus. Mais, « Pourquoi les gens n'auraient-ils qu'une paire de souliers? Il ne s'agit que de les convaincre d'avoir deux ou trois paires de souliers. » Et l'on engagea des vendeurs. Marché illimité.

Le concept de la vente vient de là. Nous avons eu les vendeurs « sous pression » qui se promenaient avec des bottines renforcées d'acier, ce qui leur permettait de « mettre le pied dans la porte ». Ils avaient dans leur valise un cadeau pour la maîtresse de maison. Je me rappelle, à Joliette, un vendeur de produits Rawleigh. (J'aimais beaucoup la moutarde Rawleigh.) Ce vendeur avait toujours un cadeau pour ma grand-mère. Mais au fond de la valise. Et à mesure qu'il la vidait, ma grand-mère achetait des produits. Grand-père trouvait toujours de nouveaux produits à sa table. Les marchés étaient limités. Il fallait quelqu'un pour les pousser. Il y avait encore des compagnies qui fabriquaient le soulier parfait. La bottine inusable. Tellement durable que quand on la changeait, les gens ne s'en apercevaient pas. Cette compagnie n'avait pas remarqué que les gens ne voulaient plus de bottines inusables et toutes semblables. Qu'ils étaient prêts à passer sur la qualité pour avoir la beauté. Des bottines italiennes ou espagnoles. Des bottines dans lesquelles ils seraient mal, mais paraîtraient bien. Chaque habit aura son soulier et quand l'habit sera démodé, on jettera les souliers. Des marchés illimités et différenciés pour une époque de superchoix. Une diversité qui permet à chacun de trouver ce qui lui va. La qualité de la vie, de « ma » vie, dans une société différente. C'est dans cette société que vous voulez réussir. Vous voulez être de la parade. Et vous serez dans la parade si les autres vous le permettent. Ils le feront s'ils ont l'impression que vous les aidez eux-mêmes à être plus eux-mêmes. Si vous les aidez à satisfaire leurs nouveaux besoins. Ceux d'aujourd'hui ne sont plus ceux d'hier. La rêve d'hier n'est pas celui d'aujourd'hui. Vous rêviez d'aller à la campagne et depuis que votre chalet est fini, vous rêvez de voyages . . .

« I love me best »

Un sociologue américain est allé quatorze mois en Amazonie pour y étudier les coutumes primitives et les relations humaines de cette société. Pendant son séjour, il vécut dans une hutte comme les gens du pays. Une vieille servante, parlant mal l'anglais et qui ne savait ni lire ni écrire, lui préparait ses repas. Elle passait ses soirées à le regarder travailler. Assis à côté de sa lampe à pétrole, il rédigeait son journal. Avant de quitter le pays, intrigué, il demanda à la vieille pourquoi pendant quatorze mois, elle l'avait regardé. Et elle lui dit dans son mauvais anglais cette phrase qui peut résumer toute une vie: « I love me best when I am with you. » Je m'aime mieux quand je suis avec toi. C'est la base de la vie en commun.

Si le changement fait que votre voisin évolue, il faudra que vous soyez à l'affût de son évolution, pour chercher à savoir

« comment » il voit la société, et si vous n'êtes pas à l'affût de ses « changements », vous allez manquer le « bateau ». Vous ne le reconnaîtrez pas. Il faut que vous puissiez le saisir pendant qu'il change, interpréter ses gestes et chaque signe qu'il fait. Est-ce que vos enfants s'aiment plus quand ils sont avec vous? Et votre femme? Et vos camarades de travail? Est-ce que votre patron peut dire: « Quand je travaille avec toi, je me sens plus moi, je me sens mieux. » Ce n'est pas le programme du vendeur seulement, c'est celui de la vie même.

Un animal qui rêve

Les choses évoluent, changent rapidement. L'homme change-t-il? Sommes-nous devant un nouvel homme? Assistons-nous au développement logique de l'homme d'hier? Son évolution est-elle normale? A-t-il constamment désiré du neuf? Et si nous reposions la question: c'est quoi, vendre? Vendre, c'est réussir quoi? Mon ami Bob se sert d'une définition extraordinaire: vendre, c'est peindre un rêve. C'est faire rêver quelqu'un. Lui faire « voir » les choses.

Imaginez-vous sur une plage ...

Nous sommes en février, il pleut, ça gèle, c'est plein de glace, tout le monde est morose à la maison, au travail. Dans la rue, vous voyez une agence de voyages. « Je vais entrer, pas pour cette année, mais peut-être l'an prochain, question de voir les prix. » Vous entrez.

— J'aimerais faire un voyage. Pas cette année, je n'ai pas l'argent, mais je voudrais voir.

— Certainement, monsieur. Je prends une feuille de papier et je vous pose quelques questions: vous aimez le soleil, vous jouez au golf? Avez-vous pensé qu'aux Bahamas, la température se maintient à quatre-vingt-quatre degrés. Soleil magnifique, radieux toute la journée ... Vous entendez les palmiers dans la brise du soir ... L'eau est chaude, jamais au-dessous de soixante-quinze, limpide, on peut voir le fond. C'est un pays extraordinaire.

Intérieurement, vous vous dites: « C'est extraordinaire. Que j'aimerais me voir là. »

— Ce n'est qu'à trois heures de vol. J'ai deux billets pour samedi. Vous et votre femme ...

« Oui, partir samedi et dire à tout le monde que ... Oui, mais où trouver l'argent? »

— C'est sous forme de prêt. Douze mois pour payer. Je vais vérifier . . .

Et il prend le téléphone. Qu'est-ce qu'il a fait, le conseiller en voyage? Il a peint un rêve. Il vous a peint, sur une plage. Vous entendez les palmiers, vous respirez l'air, vous vous baignez dans l'eau chaude. Il vous a fait rêver. Comme vous, vous faites rêver vos enfants quand vous leur parlez de ce que seront les vacances, l'été prochain. Comme vous, quand vous dites à votre femme: « Samedi, on va aller dîner en ville . . . » Quand vous dites à vos employés: « Ça va être extraordinaire, ce que l'on va réussir ensemble . . . »

A quoi rêve le monde?

Est-ce que je peux consulter le catalogue des rêves? Un gros livre probablement. Vous, vous rêvez à cela, lui, il rêve à autre chose . . . Un psychologue américain, Abraham Mazlow, de descendance italienne, génial, voulait transformer la psychologie. Il a décidé à la fin de ses études, en 1948, de tout changer. Une affaire de rien. Jusqu'en 1948, la psychologie s'occupait des malades. A l'époque, si vous disiez au psychiatre que vous n'alliez pas bien, il vous posait toute une série d'étranges questions: « Vous suspendez-vous aux plafonniers, marchez-vous sur les murs? » « Non ». « Alors, vous êtes normal. Parce que les derniers malades que j'ai vus faisaient des choses comme cela. » On travaillait par l'absurde. Mazlow a décidé de partir de l'homme normal, de l'homme sain psychologiquement: « A quoi rêvez-vous? Pourquoi travaillez-vous tellement? Qu'est-ce que vous cherchez exactement dans la vie? Qu'est-ce qui vous fait plaisir? Qu'est-ce qui vous ennuie? » Et Mazlow posait ces questions à tous. Pas seulement aux gens arrivés: médecins, politiciens, avocats. Non. Des gens de tous les milieux. Des journaliers, des ouvriers, des sportifs, des secrétaires. Des gens moyens. « Qu'est-ce que vous aimez? » « Moi, ce que j'aime, c'est balayer un coin de New York. Je ne suis pas balayeur: je suis "chargé de la propreté" de six rues. Je décide quand je commence, et par quel bout. J'organise mon travail moi-même. Je suis heureux parce que je suis mon propre patron. » « Moi, je travaille pour telle compagnie! Ça c'est une bonne compagnie. Ces gens-là m'ont garanti un travail jusqu'à la fin de mes jours ... et après, quand je serai trop vieux, une pension. Ils voient à ce que les gens puissent vivre agréablement. Ça, c'est un bon employeur! »

Il y a toutes sortes de rêves

De 1948 à 1952, Mazlow a posé des questions. En 1952, il a écrit le catalogue de nos rêves. Il les appelle des besoins. C'est la même chose. Il a réussi à démêler toutes les réponses qu'on lui avait faites. Sa conclusion, c'est qu'il n'y a que cinq classes de rêves. Cinq grands rêves de base. Pas quarante. Pas cent mille. Les hommes rêvent à cinq choses. « Vous ne connaissez pas les besoins de ma femme. » « Je ne connais pas votre femme. Je sais qu'elle fait, comme tout le monde, cinq rêves. »

Vous pouvez lire le livre de Mazlow: *Motivation and Personality*. Cinq cents pages. Un vrai livre de scientifique. Plein de découvertes pour des gens qui veulent vivre, pas seulement vendre, mais aussi vivre agréablement. Qui veulent sentir que les autres agissent agréablement avec eux. Qui veulent avoir des relations humaines enrichissantes.

Un besoin satisfait disparaît

D'abord, avant d'analyser les cinq besoins, deux règles à ne pas oublier. La première: un besoin satisfait disparaît. C'est banal à dire. C'est une évidente tautologie. Et si le besoin cesse d'être satisfait, il va se faire sentir de nouveau. Je suis incapable de rêver à des choses que je possède.

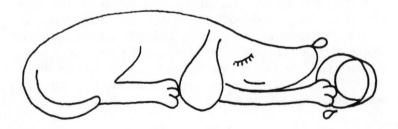

Je le vois déjà, le sofa . . .

Le dimanche matin, la plupart des gens ne travaillent pas. Toute la journée devant eux. Alors, ils se lèvent plus tard. Ils mettent leurs habits du dimanche. Quelques-uns vont encore à la messe. Et ils se réunissent, le dimanche midi, pour le rosbif. Remarquez que le rosbif du dimanche midi a un goût particulier. Vous en prenez quelques tranches, avec des pommes de terre, du pain français, un verre de vin. Je ne sais pas si ça vous arrive, mais moi, après avoir mangé comme cela, j'ai une espèce de sentiment de plénitude.

Je prends mon café, tranquillement, puis je ferme les yeux et je le vois déjà . . . le sofa. C'est à ce moment que ma femme s'approche et me dit: « Qu'est-ce que tu veux pour souper? » Tout me remonte dans la gorge. Je ne le sais pas, ce que je veux pour souper. J'ai pas faim. J'ai pas d'idées, n'importe quoi, des oeufs, des restes. Vous n'avez qu'une idée en tête, aller vous coucher. Et vous vous endormez profondément jusqu'à cinq heures. Là, la bête se réveille. Elle apparaît dans la cuisine en bâillant: qu'est-ce qu'on mange pour souper? Votre femme vous répond: « Des oeufs, des restes . . . » « Non, pas ça. Une petite pizza avec des anchois . . . »

Le besoin est revenu. C'est la vie. Combien de jeunes rêvent à des voitures, et le jour où ils en ont une, c'est fini. Combien de gens rêvent à des poissons tropicaux, et le jour où ils montent l'aquarium, les poissons ne les intéressent plus. Ils rêvent à autre chose.

Quand on a des enfants, on essaye de satisfaire le besoin qu'ils ont d'être protégés. Le père est là, Dieu le père, il sait tout. Il a le monopole des erreurs, comme je dis très souvent. Il trône. Je vais te guider, mon fils. Tu ne dois pas te mettre les pieds dans les plats. Le rêve du fils va en sens contraire. « J'ai hâte de me mettre les pieds dans les plats. » Faire ses propres expériences. Pas celles du père. Son besoin d'être protégé est satisfait. Ce rêve-là est réalisé. Il pense à d'autres rêves. Savoir remplacer ses rêves.

La pyramide des rêves

La deuxième règle: les rêves s'édifient en pyramide, selon une hiérarchie. On grimpe dans la pyramide. On commence par satisfaire des besoins fondamentaux. Ils doivent être réalisés d'abord. Et lorsqu'ils le sont, on les remplace par d'autres sortes de rêves. On grandit de cette façon-là. C'est important pour la vente et pour la vie en société. Si vous voulez aider celui qui est

en face de vous, vous devez savoir à quoi il rêve. Vous devez savoir où il en est rendu dans sa pyramide. Si vous visez un besoin trop bas ou un besoin trop haut, vous risquez de lui faire peur ou de l'ennuyer.

Deux gérants des ventes . . .

Je connais des gérants de vente qui disent à de jeunes vendeurs: « C'est ton premier emploi? C'est un travail difficile. Tu vas travailler dans un territoire en or, mais dur. La plupart des vendeurs ne résistent pas longtemps, celui qui t'a précédé a duré trois mois, et il a fait une dépression. C'est un beau défi pour toi. A vingt et un ans, je suis sûr que tu cherches un défi. Evidemment tu devras travailler fort, jusqu'à minuit le soir, tous les jours. Au bout de trois ou quatre ans, ça devrait être bon. » Le gérant des ventes n'a pas fait une vente. Il a fait peur à son vendeur qui, lui, ne cherche pas un défi . . . mais un emploi. Il cherche à gagner: « C'est la première fois que tu vends? Ah, mon Dieu, tu me rappelles des souvenirs. La première fois que, moi, j'ai été vendre, j'ai dû travailler fort. J'avais des papillons dans l'estomac. Avant de sonner à la porte de mon premier client, je suis resté un gros dix minutes dans mon auto. Je me disais: « J'espère qu'il n'est pas là. » Je vais sonner et je vais dire: « Dites-lui de me rappeler. » Puis progressivement, je me suis habitué. Le territoire que tu as est un territoire en or. Moi, comme gérant des ventes, mon travail, c'est de t'aider. T'aider à bien t'adapter, à aimer ton métier. Ça va marcher comme un charme. On va travailler ensemble. A ton rythme. » Aider un jeune, c'est le mettre sur la bonne voie. C'est l'aider à grimper sa pyramide.

Les cinq besoins de l'homme

Mazlow a compté cinq besoins, le cinquième étant le plus

élevé. On peut les représenter par la pyramide suivante:

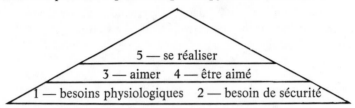

On grimpe dans la pyramide. De temps en temps, on redégringole. Certains besoins satisfaits deviennent insatisfaits. Alors, on recommence. Des personnes satisfaites sur le plan de la sécurité, ont, dans certaines catastrophes, tout perdu. Un ingénieur faisait de la recherche pour une grosse compagnie. Il gagnait sûrement trente mille dollars par année. Il n'aurait jamais accepté un emploi moins important, jusqu'au jour où la compagnie décida de fermer son laboratoire. Il a été remercié. On lui a donné six mois de salaire, fond de pension, tous les avantages. Il a dû se mettre à la recherche d'un travail. Les mois passèrent. Le défi avait perdu de son importance; le travail de trente mille dollars? Après un an, il accepta un emploi à treize mille! La sécurité avait pris le dessus: « Est-ce un emploi stable? » Il était revenu au bas de la pyramide. Son rêve, c'était quelque chose à se mettre sous la dent. Un chèque tous les quinze jours. Une des plus belles professions qui soit, celle de vendeur, consiste à aider les gens à grimper la pyramide, et, quand ils descendent, à la remonter. C'est fantastique, toutes les satisfactions qu'on peut éprouver à se tenir au haut de la pyramide.

1. Premier rêve, les besoins du corps

Le rêve physiologique. Tu dois respirer, manger, boire, avoir chaud ... Pensez à l'homme perdu en haute mer sur un radeau: « Combien de temps vais-je rester sans manger? » Evidemment, au Canada, dans le monde occidental, tout le monde mange à sa faim ... C'est vrai. Les gens mangent tous et assez bien. Au contraire, en Ethiopie, le « rêve » physiologique, c'est la nourriture. Au Canada, c'est autre chose. Ça peut vouloir dire le confort.

Etre bien assis: s'assurer que le client n'est pas à l'étroit. Qu'en vous attendant, il fait quelque chose d'intéressant. Qu'il n'a pas trouvé le temps long. Combien de fois entrez-vous dans une salle d'attente où vous passez des heures à ne rien faire! J'ai vu, un jour, chez une esthéticienne, celle qui fait rêver, celle qui vend le rêve de la jeunesse retrouvée, j'ai vu à la place des vieilles revues habituelles, une table sur laquelle on avait mis un immense casse-tête, un fantastique puzzle. Et chacun s'essayait à placer deux ou trois morceaux. Ainsi le temps semblait moins long.

Une chaise roulante

J'ai déjà vu dans la salle d'attente d'une compagnie d'appareils chirurgicaux, une charmante secrétaire m'offrir comme siège, une chaise... roulante. « C'est fait pour s'asseoir, me disait-elle. » Et qui a le goût de s'asseoir dans une chaise roulante? Fallait-il essayer la table d'opération, le poumon artificiel, la tente d'oxygène? Je suis resté debout. Je n'étais pas bien. On avait oublié le confort physiologique des bien-portants. Combien de grands magasins, l'hiver, ont pensé que le client, qui arrive du froid, se promènera à l'intérieur avec son paletot et son foulard? Combien ont pensé à un vestiaire? Si on était capable de sacrifier quelques pieds carrés, peut-être y demeurerais-je plus longtemps. Je pourrais y déposer mes emplettes. Et pour ceux qui y viennent avec des jeunes enfants, une garderie, des poussettes...

Besoin physiologique de la secrétaire qui doit être bien assise, travailler avec une bonne machine à écrire, un bon éclairage, dans le calme. Malaises qu'elle ne sait pas toujours identifier. Tension. Fatigue. Mal aux yeux. Perspectives Jeunesse a subventionné un projet d'étudiants en ophtalmologie qui vérifièrent la qualité des éclairages des classes de première année à la Commission scolaire de la Ville de Montréal. Ce fut une découverte. La grande majorité des classes étaient mal éclairées. L'enfant avait peine à lire au tableau et le professeur croyait que sa méthode pédagogique n'était pas bonne!

Souvent, les patrons réunissent leurs employés pour régler des problèmes importants, le jeudi ou le vendredi soir, à cinq heures. Après une semaine de travail, une longue journée! Quand tout le monde est fatigué et a hâte que ça finisse: « On dirait que mes gars manquent de participation. C'est drôle, ils ne réagissent pas! » « Vous ne pouvez pas tenir la réunion le lundi, patron? Me donner la piqûre, le lundi? » Le vendredi, ne posez pas trop de questions. Les gens ont besoin de se reposer.

2. Deuxième rêve, le besoin de sécurité

Dans un monde qui provoque le goût d'entreprendre, d'essayer, la résistance au changement a fait son apparition. Elle est l'expression de mon besoin de sécurité. Le besoin de sentir que ce qui est physiologiquement satisfait le sera longtemps, toujours. Tout l'élément confiance joue au niveau de ce besoin-là. Je résiste aux changements, très souvent parce que je ne sais pas pourquoi ils arrivent. Quand je saisis pourquoi, ma résistance tombe.

« Vous allez sentir une odeur de chauffé »

Zeibart est une compagnie qui a mis au point un procédé antirouille pour les automobiles. Elle lance un caoutchouc liquide, à l'intérieur des carosseries. Le problème, c'est que le liquide touche aux parties mobiles de la voiture. Plusieurs clients craintifs n'osaient pas aller plus loin. « Vous avez dû jouer dans ma voiture, ça sent le chauffé. » Il fallait les rassurer. Zeibart a donc fait imprimer un avertissement sur des couvre-tapis qu'elle place dans la voiture durant l'opération: « Nous vous remercions. Vous avez fait donner le traitement qui fera durer votre voiture plus longtemps. Nous avons lancé du caoutchouc liquide etc., etc. C'est ce qui explique l'odeur qui, dans les prochains jours ... Vous verrez peut-être de la fumée s'échapper du capot. Si ça n'arrive pas, appelez-nous. Nous avons fait une erreur. » Et la personne qui sent l'odeur du brûlé dans sa voiture sait que tout est normal. Elle n'a pas peur. On lui a dit pourquoi.

J'ai hâte de lire un livre de recettes de cuisine qui me dira les pourquoi, au lieu des comment. Pourquoi il ne faut pas mêler tous les ingrédients en même temps. Pourquoi il faut ajouter le lait et le sucre en brassant? Pourquoi! Voulez-vous donner de la sécurité? Expliquez franchement les choses aux gens. Mon rêve: me sentir en confiance. Je ne veux pas qu'on me cache des choses. Je ne veux pas qu'on me pose des questions auxquelles je ne peux pas répondre. Je ne veux pas qu'on me dise à chaque minute: « Surprise! » Comme ce père qui annonce à sa femme: « Surprise! nous allons passer le mois de juillet à New York », sans vérifier si sa femme a le goût d'aller à New York. Trop souvent on décide pour les autres sans leur donner d'explications; on tue l'élément « sécurité ». On appelle cela un manque de communication. « Le patron a fait cela . . . Pour moi, il va remercier du personnel, il va faire ceci, il va faire cela . . . » On se sent persécuté. Le client à qui vous n'avez pas donné assez d'explications a dit: « Ce type-là veut ma peau. » Et il a raison. Quand vous vous présentez devant lui, tout ce qu'il sait, c'est que vous voulez lui enlever son argent. Vous lui donnez des tonnes de papier. Vous lui expliquez certaines choses dans le détail, mais d'autres pas. Vous ne lui dites pas ce qui va se passer. Il est obligé de poser des questions. Il se demande s'il a posé les bonnes questions. Il ne vous a pas donné toute sa confiance. Il a peur.

Une piscine pour le bureau de direction

Une grande compagnie décide de déménager. C'est une décision du bureau de direction. Aux ingénieurs de tout préparer. Casques protecteurs blancs sur la tête, ils décident d'aller sur les lieux vérifier ce qui sera conservé et transporté, et ce qui sera jeté aux rebuts. Ils apparaissent et disent à l'ouvrier qui travaille à une machine:

— Ne vous dérangez pas, on vient juste prendre des mesures . . . Combien cette machine mesure-t-elle?

— Vingt et un pieds.

— On va la jeter au rebut celle-là.

L'ouvrier n'a plus de machine. L'ouvrier n'a plus de job. Un vague sentiment d'insécurité se propage dans l'usine. On ne les a mis au courant de rien. Surprise! Un dimanche après-midi, le président de l'entreprise se rend voir la marche des travaux à sa nouvelle usine. A son grand étonnement, plusieurs de ses employés sont aussi en train de visiter. Inconnu, comme tous les présidents des grosses corporations, il demande des explications: « Ici, monsieur, on est en train de construire un bureau chef pour les cadres supérieurs de la compagnie. L'usine déménage aux Etats-Unis. Moi, je viens de perdre mon emploi. Le trou que vous voyez là, c'est leur piscine . . . » Ce n'était pas une piscine pour le bureau de direction. C'était une usine entièrement neuve. Le trou, ce n'était pas une piscine, c'était l'entrée souterraine des camions. Pourquoi ne pas l'avoir dit?

Quand Radio-Canada est passé de l'ouest de Montréal à l'est, on a probablement fait venir des Etats-Unis des « management consultant »; ce sont eux les meilleurs et ils ont décidé de faire l'inventaire de tout le mobilier de bureau. Mobilier à détruire, à réparer et à transporter tel quel. « Bonjour, monsieur. Nous faisons l'inventaire. Etiquette rouge sur le pupitre, verte sur la patère, orange sur la chaise. Merci monsieur. Excusez-nous. » Et que dit l'employé? « Trois couleurs? Laquelle représente les meubles à jeter? Qu'est-ce que j'aurai dans mon nouveau bureau? » Incertitude! Sécurité, insécurité. Toujours le même rêve. Toute la société a besoin d'être rassurée. J'ai besoin de sentir que celui qui s'approche de moi ne veut pas me faire mal, me briser, m'écraser, me brimer, m'enlever mon rêve de bien-être, mon pain de la bouche. Dire aux autres pourquoi. Les mettre en confiance. « Ah, c'était ça le problème. Ah! dans les circonstances, ils avaient raison. »

3. Troisième rêve, le besoin d'aimer

Lorsque les besoins premiers sont satisfaits et que l'on se sent en sécurité, on rêve de satisfaire un troisième besoin: faire partie du groupe. Se joindre à une équipe. Vivre avec ceux qui gagnent. Développer des amitiés. Que c'est rare, de nos jours! A la base, on est égocentrique, on cherche « sa » sécurité. On oublie que l'autre aussi veut gagner. Nos meilleurs amis, qui sont-ils?

Une bouche et deux oreilles . . .

Pensez à celui qui va dans un bar régulièrement. « Gaston, une bière » et Gaston apporte la bière. Lorsque Gaston dépose le verre, il regarde son client et lui dit: « Monsieur, vous n'avez pas l'air en forme. » « Ah! ne m'en parle pas, Gaston, si tu savais comme ça va mal. Ça va mal à l'ouvrage. Ça va mal à la maison. La femme se met de la partie. Les enfants ne rentrent plus le soir. Je t'enverrais tout ça par-dessus bord. Quand je regarde le pont Jacques-Cartier, je me demande s'il est assez haut . . . » Pendant tout ce temps, qu'est-ce que fait Gaston? Il rince des verres, et tout le

long, il dit: « Ouais ... tant qu'à ça ... Ne me dites pas!
Ah! elle doit être folle ... »

Et quand Jean-Pierre sort du bar, trois heures après, il dit
à ses amis: « C'est plaisant d'aller au bar. On est là avec
Gaston et on parle tous les deux. On échange des idées. »
Gaston sait écouter. Le Bon Dieu nous a fait avec « une »
bouche et « deux » oreilles: c'est pour écouter deux fois plus
qu'on parle. On n'écoute pas ce que l'autre raconte. On
n'écoute pas ce qu'il veut. Combien de gens, parmi ceux
que vous rencontrez, ont tout simplement besoin d'être
écoutés? Avoir quelqu'un à qui pouvoir dire: « Sais-tu
quoi? » C'est difficile de vivre seul, parce qu'on se retrouve,
le soir, entre quatre murs et qu'on n'a personne à qui parler.
Vous, le vendeur, dans votre famille, est-ce que vous écoutez
assez? La grande fille qui s'approche de son père:

— Papa ...

— Ne me dérange pas ... je viens d'arriver, je suis
fatigué, je veux lire le journal en paix.

— O.K. papa ... O.K. Je ne te dirai pas « Sais-tu quoi? »
papa ...

Savoir écouter

Un oncle de ma femme, qui a eu plusieurs enfants, me
disait un jour: « Connais-tu, Jean-Marc, le moment idéal
pour parler à ton garçon ou à ta fille? Le soir, tard, lorsqu'ils
reviennent d'un party. Tu prends une bière avec lui ou avec
elle. La dernière de la soirée. Et tu dis: « Et puis? » et le gars
parle. « Et puis? », le mot qui fait venir tous les autres. Aller
voir les gens et dire: « Et puis? Comment ça a marché?
Qu'est-ce qui est arrivé? » C'est ça, satisfaire le besoin d'amitié. « Mon Dieu, que c'est plaisant de parler avec ce gars-
là ... » Et si vous écoutez l'enregistrement de la conversation, c'est vous qui parlez tout le temps. « C'est un bien bon
gars, mon patron, mais il a un grand défaut, on ne peut pas
lui parler, il ne sait pas écouter. »

J'ai fait un test avec ma femme, un soir. Dans un party, nous nous sommes donné le mot: on ne parlera pas de nous, ni de nos enfants. On va parler des gens qui seront là. La conversation sera totalement différente. En plus, nous allons apprendre beaucoup. Comment aider les gens. On va les voir rêver. Et, de fait, tous ceux que nous avons rencontrés à cette soirée nous ont trouvés charmants. Ils ont trouvé que nous avions une conversation passionnante: ils avaient parlé d'eux; nous n'avions pas dit un mot!

4. Le quatrième rêve, un besoin d'estime

Se sentir important. A ses propres yeux et aux yeux des autres. Etre content d'être « parent avec soi-même » et parent des autres. Nous voulons que les autres nous voient comme des gens importants. C'est pour cela que nous avons une grosse voiture. C'est pour cela que le vendeur réussit à vendre une Cadillac, même d'occasion: elle nous donne l'air plus important. Jim Patterson, un citoyen célèbre de Vancouver, se promène dans une Cadillac bleu poudre, de trente mille dollars. Bar, frigidaire, téléphone, radio AM-FM stéréo, tout, quoi! Pourquoi? « Parce que dans le milieu où j'évolue, les gens jugent de l'intelligence d'un homme à la grosseur de son auto. Et comme je suis très intelligent, j'ai acheté la plus grosse. »

Une Cadillac noire à six portes

Deux hommes d'affaires orgueilleux et infatués d'eux-mêmes se rencontrent, tous les lundis, dans un grand restaurant de la métropole.

— Ça va Jean?

— Pas mal, André, mais j'ai eu des problèmes avec ma voiture. L'huile à changer, les cendriers pleins, alors je l'ai vendue pour une Cadillac noire à six portes. Quelque chose de confortable.

Le lundi suivant, André dit à Jean:

—C'est intéressant, une Cadillac. Tu as raison, c'est confortable, surtout avec l'air conditionné.

— Moi, dit Jean, ce qui me dérange, c'est le téléphone. Dans ma voiture, il sonne tout le temps.

Alors, André, dès le lendemain pour ne pas être en reste, fait installer le téléphone dans son auto et décide d'appeler Jean.

— Salut Jean, comment ça va? Je suis dans ma Cadillac sur l'autoroute des Cantons de l'Est . . .

— Ah? Ça va. Je m'en vais vers Mont-Laurier . . . Excuse un instant, mon autre téléphone sonne.

Et ainsi de suite . . . Le deuxième, le troisième téléphone, la Cadillac à six portes . . . Ça sert à quoi? Dans un certain milieu, ça tient lieu d'estime.

Se sentir important. On oublie de dire aux autres qu'ils sont importants. On dit: tout le monde est pareil, il n'y a personne d'irremplaçable. C'est faux. Chacun est unique dans son genre. Il n'y a pas deux êtres semblables sur toute la terre! Et chacun voudrait que les autres le sachent.

« Imbécile! »

Si vous voulez savoir si vous avez un certain respect pour les autres, demandez-vous si, à la fin de chacune de vos phrases, vous ne dites pas, de façon sous-entendue: imbécile. « Est-ce que je devrais vous l'expliquer une troisième fois, monsieur le client? (imbécile!) » On sent le mot, même si vous ne le prononcez pas. « Je pense que vous n'avez pas saisi correctement, monsieur le client (imbécile!) » Il serait si facile de dire: « Je n'ai pas été très clair, je vais vous réexpliquer . . . », sans ajouter, pour soi, le mot « imbécile ». « Vous n'avez pas saisi. Je vais recommencer . . . » Pensez à nos politiciens. Un de nos premiers ministres a dit dans un discours, à l'époque où il était arrogant: « Si les gens ne sont pas contents, ils n'auront qu'à élire un autre premier ministre . . . », sous-entendu, « imbéciles ». Tout cela est inconscient. Mais si vous vous appliquez ce petit traitement, vous allez vite comprendre. On le dit aux clients, aux jeunes, à sa femme: « Ne me dis pas que tu n'as pas eu le temps de faire le lavage (imbécile). Mes bas ne sont pas raccommodés (imbécile). » C'est souvent l'attitude de supériorité qu'on a envers les enfants: « Tu ne comprends rien! (imbécile) » Partout dans notre conversation, on entend ce mot: imbécile.

La jeune génération qui satisfait assez bien ses trois premiers besoins: ses besoins physiques, ses besoins de sécurité et de participation, n'a pas encore satisfait son besoin d'estime. Plusieurs font tout pour attirer l'attention. Ils essaient de se rendre importants. Certains s'en rendent malades. D'autres se pensent malades: « Une fois malade, on va s'occuper de moi. » Certains même se mutilent. Un médecin américain disait toujours à ses patients: « Quel est le but de votre maladie? » Et nous, qui circulons dans ce monde-là, nous ne pensons qu'à notre « moi »! Nous manquons le bateau. Les gens, autour de nous, seraient beaucoup plus heureux si nous faisions attention à leurs rêves, à leur besoin d'estime . . .

5. Cinquième rêve, le besoin de se réaliser

S'épanouir. Devenir soi-même. C'est ça que chacun veut. De-

venir « soi ». On veut être de plus en plus soi. On veut être soi partout. Et pour être soi-même, on est prêt à payer des fortunes. On est prêt à payer plus cher. On veut une auto qui a l'air de soi, un bolide. Une auto de course, avec un assourdisseur qui fait un beau bruit avec quatre carburateurs. Pour faire du cent trente-cinq à l'heure. Sur quelle route? Au risque de se tuer! Ça ne fait rien. On veut la grosse auto et pas n'importe laquelle. Elle sera bleu poudre. De la couleur de nos costumes. Notre civilisation nord-américaine tourne beaucoup autour de ce besoin: se réaliser à tout prix et pour cela, s'il le faut, imiter l'autre. Devenir semblable à cette personne que l'on aimerait être. Devenir lui et soi-même. Qu'est-ce que dirait la vieille Indienne? *I love me best when I am with you.* C'était le même rêve. Avec vous, est-ce que je me sens bien? Avec vous, l'autre, est-ce que je me sens plus moi? Est-ce qu'au contraire, ce que vous faites pour moi me détruit et me rapetisse? Est-ce que ce que vous me vendez m'aliène et fait de moi quelqu'un qui ne correspond pas à mon rêve?

Le vendeur de demain

Le vrai vendeur de demain, celui qui va réussir dans la vente, celui qui va réussir dans la vie, c'est celui qui va faire en sorte que les autres réussissent. Dans la pyramide de Mazlow, un facteur me saute aux yeux: les deux premiers rêves, physiologique et de sécurité, correspondent à des besoins égocentriques. Manger et se protéger, ça ne regarde que soi. Mais les trois autres besoins sont axés vers autrui. Le troisième tient compte de la société, le quatrième, de l'importance que vous avez aux yeux des autres, et le cinquième, de votre réalisation. Si vous n'avez pas satisfait les deux premiers, vous aurez des difficultés dans vos relations humaines. Parce que vous ne pouvez pas penser à l'autre. Vous ne l'aidez pas à monter au haut de la pyramide. Vous ne pensez qu'à vous. Le vendeur qui a des problèmes financiers ou des problèmes sentimentaux ne peut pas exercer son métier librement. Il est trop tourné vers lui-même. Il se présente chez son client en le suppliant d'acheter son produit parce qu'il doit payer son loyer à la fin du mois. Il ne vend pas pour rendre service. Il ne pense pas à son rêve. Sa sécurité. Mais ce qui compte, pour réussir sa vie, c'est d'aider les autres. On se sent bien quand on a donné un coup de main. Mieux que quand on doit se défendre. Qu'est-ce que j'ai fait aujourd'hui dans ma petite pyramide intérieure, dans ma petite société, dans ma petite famille? Est-ce que je l'ai vu le rêve de mon fils? De ma fille? De ma mère? De mon copain? De l'homme qui travaille avec moi de l'autre côté du mur? Est-ce que je les ai aidés à grimper dans la pyramide? C'est pour cela que vendre c'est vivre. La plus grande satisfaction de la vie, c'est d'aider l'autre à devenir plus lui. Ça veut pas dire qu'il va rester en haut toute sa vie. De temps en temps, ça va mal et il redescend.

Avoir confiance en sa réussite

Je disais à un vice-président d'une banque canadienne: « Vous avez le droit de refuser de prêter à celui qui vient emprunter chez vous. Vous avez le droit de refuser si vous pensez lui rendre un mauvais service. Mais ce que vous n'avez pas le droit de refuser à quelqu'un qui se présente chez vous, c'est la confiance en sa réussite. » Un gérant de banque n'a pas le droit de refuser cela. Personne non plus, d'ailleurs: « Ah! tu sais, ça ne marchera pas. Tu n'es pas assez bon. » Personne n'a le droit de détruire un homme ou une société. Dans une campagne politique, est-ce qu'on doit grandir des hommes, ou est-ce qu'on doit les détruire? Trois ou quatre partis qui se traitent de tous les noms . . . Ils ne bâtissent pas. Peut-être parce qu'ils se tiennent au bas de la pyramide? Ils ne sont pas certains d'être eux-mêmes. Vendre, c'est donner confiance aux gens. C'est donner de l'amitié. Leur faire découvrir leur importance. Sincèrement. C'est aussi leur dire que l'image qu'ils se font d'eux-mêmes est fausse. Ce n'est pas vrai que vous ne pouvez pas réussir. Un ami me disait: « Toi, Jean-Marc, c'est parce que tu es capable de vendre ta tête. Moi, je ne suis pas capable . . . » Pourquoi me dit-il cela? Il l'a vendu, sa tête: il est contrôleur d'une grosse corporation qui vend pour quatorze millions par année. Il a été promu adjoint au président. Pourquoi me dit-il cela? Il a fait le contraire toute sa vie. C'est ça, vendre. On vend tous les jours et toutes les minutes de notre vie en société. Je pense même que l'on vend quand on est seul. Seul en face du miroir, on se vend à soi-même. On se dit que l'on est content d'être « parent avec soi-même ». On peut le prouver aux autres. On a une image de réussite devant soi. C'est capital. C'est à la base de tout. C'est la base même de la vie.

La pendule
des tempéraments

Un psychologue, E.L. Thorndike, a découvert que l'être humain se comporte comme un pendule. Il oscille entre la récompense et la punition. Thorndike prétend que le tempérament de chacun se forme dès le plus jeune âge et qu'il a une grande influence sur son comportement.

Monsieur Sécurité

Dans notre province, plusieurs semblent très attirés par le

pôle de la punition. L'enfant est habitué à ne pas faire des choses, car il est élevé dans des défenses continuelles: « Ne va pas dans la rue, c'est dangereux. Ne te promène pas en maillot de bain, c'est malsain. Ne va pas jouer dans les champs, tu risques de faire de mauvaises rencontres. Ne parle pas à des étrangers, si tu le fais, je vais te gronder. » L'enfant qui est élevé de cette façon se bâtit un tempérament qui ne cherche qu'à éviter la punition. L'important, pour lui, c'est de ne pas commettre de faute. Faute égale punition, et la punition fait mal. Combien de gens sont « assis », parce qu'un jour, dans leur jeune âge, ils ont appris à avoir peur. Parmi ceux-là un type répandu: Monsieur Sécurité. Il a un tempérament peureux. Ses vêtements ne sont pas à l'avant-garde, mais ils sont toujours propres. Le style est dépassé depuis quelques années, mais pas trop, pour ne pas attirer l'attention. De façon à ne pas prendre de risque. L'homme peureux ne porte pas la barbe. Le jour où elle sera à la mode, il n'y aura plus de risque, alors il la portera. Monsieur Sécurité aime les récompenses. Mais il ne prend jamais le risque de perdre. Il agit à l'inverse du joueur. Il a peur de la faillite. Il ne connaît pas les situations embarrassantes. C'est un homme qui ne rougit jamais. Il vit à l'intérieur d'une carapace. Il a besoin de preuves. Il doit être rassuré avant de prendre une décision. Son langage est farci des mots: punitions, circonstances difficiles, situations embarrassantes. Son budget est précis. Le moindre sou est calculé. Ses vacances sont planifiées longtemps à l'avance. Par souci d'économie, il voyage hors saison, avec des billets familiaux valides du lundi au vendredi. Il pratique la natation . . . parce qu'on nage seul. Il ira faire du ski pour la même raison. Pas de compétition. Il ne joue pas aux échecs. Ni aux dames. Il a peur de perdre. Aucun sport d'équipe. Pour lui, le sport est un divertissement tranquille. Un peu de pêche en amateur. Sans prendre part à un concours. Sans même essayer de battre son record. Il travaillera cinquante-cinq ans au même endroit. C'est un trop grand risque de quitter. Il est attaché à son fond de pension. Il ne prend même pas de chances sur l'au-delà: il va régulièrement à l'église.

Il me fait penser aux Japonais. J'ai demandé à un guide japonais la proportion des bouddhistes et des shintoïtes au Japon. « Soixante pour cent des Japonais sont bouddhistes et soixante pour cent sont shintoïstes: vingt pour cent ont les deux religions, vingt pour cent ne prennent pas de risques », Monsieur Sécurité serait prêt à prendre trois religions... à les essayer toutes.

C'est un homme rangé. Il a mis sur une petite boîte l'étiquette suivante: « Petits bouts de ficelles ne pouvant servir à rien ». Il conserve tout. Il vérifie souvent l'intérêt sur son compte de banque. Il déplace son compte d'épargne d'une banque à l'autre, selon les variations du marché. Il aime être sûr de sa récompense. Il élève des animaux qui rapportent, des chiens de race, des chinchillas, des oiseaux exotiques. Il ne s'amuse pas, de peur de gaspiller. Il répare son auto lui-même. Sinon, il surveille au garage celui à qui il a confié sa voiture, s'assurant d'abord que le garage est protégé par une assurance. Ses initiales sont bien indiquées partout. Tout est à son nom. Tout ce qui lui appartient est gardé sous clef. Même la liste des comptes à payer. Même son classeur. Ses classeurs... car il ne jette pas de papier. Il suit ses enfants pour éteindre les lumières. Il vérifie les fenêtres. La décoration de son bureau est neutre. Il accroche volontiers à ses murs le « train du Canadien Pacifique traversant les Rocheuses aux bords du lac Louise », une photo tirée à quelques millions d'exemplaires. Il vit anonyme. Il vous reçoit dans son jardin bien tondu. Sur ses chaises de jardin, il a fait mettre des housses. Il a lu les instructions anglaises et françaises qui accompagnent sa tondeuse neuve. Au cas où... Monsieur Sécurité a un leitmotiv: « Plus ça change, plus c'est pareil. » Généralement, il préfère ne pas trop parler et ne pas poser de questions. Il a l'air gêné. Il s'interroge sur l'avenir. Il sait que toutes ses assurances lui permettent de vivre un an sans travailler. Il évite comme les Japonais de dire non.

Elle était déjà « partie »

Un missionnaire m'a raconté qu'au Japon, un jour, se rendant dans un endroit dont il ne connaissait pas le chemin, il a demandé à un passant « si en allant de ce côté, il pouvait se rendre à l'endroit désiré » et le Japonais de répondre: « Oui ... peut-être ». Le missionnaire comprit et demanda « si en allant dans la direction opposée, il ne se rendrait pas plus rapidement ... » « Evidemment ... » de dire le Japonais, qui ne voulait pas lui faire de peine. Le même missionnaire rendit visite un jour dans un hôpital à une de ses paroissiennes. On lui annonça qu'elle était « partie » très tôt le matin. Alors, il s'en retourna heureux dans sa paroisse pensant la retrouver. Elle avait effectivement quitté l'hôpital. Mais pourquoi lui faire de la peine et lui dire que sa paroissienne était partie ... les deux pieds devant.

Vous connaissez tous plusieurs « Monsieur Sécurité ». Ils aiment se faire dire, par exemple, que ce n'est pas dangereux, qu'il n'y aura pas de punitions. Ils aimeraient penser par eux-mêmes, mais préfèrent penser comme le groupe. Jadis, ils allaient voir les curés. Ils veulent se faire dire qu'ils sont normaux. Qu'ils ne courent pas après une damnation éternelle ou temporelle, le rejet de la société. Dans une famille, certains enfants ont besoin de savoir qu'ils font partie de la famille à part entière. La mère a besoin de savoir qu'elle n'est pas là pour le ménage seulement. Qu'elle est là pour faire des hommes. Lorsqu'un vendeur rencontre un Monsieur Sécurité, il doit lui faire comprendre que le produit qu'il va acheter n'est pas une menace, qu'il ne sera pas ridicule, que les autres ne le critiqueront pas. Au contraire, il faut lui dire qu'il sera de son temps, qu'il va, de cette façon protéger son niveau de vie. Il a le droit de le faire. L'enfant, dès le début, agit en Monsieur Sécurité. Il a besoin de manger. Il a besoin de la chaleur humaine, lorsqu'il a peur dans la nuit. Il a besoin de quelqu'un qui lui dise: « Ça va bien. Je suis là. »

Monsieur Sécurité en est resté là. Il est accroché aux premiers rêves de sa pyramide. Il voudrait grimper mais son expérience le traumatise. Il ne se rappelle que ses défaites. Il faut l'aider à refaire son image intérieure! A s'aimer. A s'accepter. Vous devez lui vendre de la confiance, ce dont a besoin cet homme de notre temps, Monsieur Sécurité.

Monsieur Accomplissement

Il se balance à l'opposé de Monsieur Sécurité. Dès son jeune âge, ses parents et ses amis l'ont poussé à faire des choses en dehors de l'ordinaire. Régulièrement, il a été récompensé par: « Ça va bien, tu réussis, tu gagnes. » L'enfant qui reçoit en cadeau, à l'âge de deux ans, des gants de boxe, celui qui, à l'âge d'un an, est jeté dans une piscine se bâtit un tempérament de gagnant. Il recherche la récompense. Pour être le premier, il ira vers les choses nouvelles. Il est prêt à perdre l'appui de la majorité. Il veut être reconnu comme vainqueur. « Dans l'armée, il marchera devant » pensera sa mère. Il est un fier compétiteur. Il est non-conformiste. Il déteste la routine. Il brise la monotonie. Il aime reprendre et recommencer. Il est toujours prêt à se défendre. C'est lui qui décide. La première génération issue de nos CEGEP lui ressemble. C'est elle qui achète. Le vendeur n'a pas à l'influencer. Monsieur Accomplissement fait de son travail un plaisir. Il n'est pas l'homme des corvées. Lorsqu'il cherche un emploi, il veut savoir s'il s'y accomplira. Il ne travaille pas pour gagner sa vie. Il travaille pour s'amuser. Pour réussir quelque chose qui lui ressemble. Quelque chose qui est lui. Il n'aura pas peur de demander plus de travail. Il aime faire les choses qui « valent la peine ». Il est des deux pour cent qui font la parade. Il ne fait pas partie du groupe qui accepte la défaite.

En 1971, un article est paru dans un journal de Québec, *Le Soleil*. Il s'intitulait: « Le travail est un bien. » L'auteur, dès le premier paragraphe, ajoutait que « le temps, l'instruction, l'amitié, la liberté, les possessions, le talent sont aussi un bien quand on sait s'en servir. » Cet article faisait mention d'un colloque tenu par des jeunes, sur l'usage des biens. Sept jeunes de dix-huit à vingt-cinq ans s'expriment ainsi: « Le travail est l'un des premiers biens et l'on en fait souvent une mauvaise utilisation. — Il ne faut pas travailler pour un système de type capitaliste car il abuse des gens. — Pour beaucoup, seul l'argent compte. — Plus tu gagnes, plus tu montes dans l'estime des gens. — Il ne doit pas y avoir de distinction entre mon travail et mes loisirs. — Il faut se fixer des buts qui ne sont pas des contraintes. — Tu dois organiser ton temps. » Ces jeunes tiennent les propos de Monsieur Accomplissement. Ils recherchent la qualité de la vie. Travailler pour être heureux. S'autodiscipliner. Se fixer ses propres buts. Ses échéances: « Si ça mérite d'être fait, il faut que ce soit bien fait. » Monsieur Accomplissement déteste le travail bâclé, la voiture et l'instrument de musique faits en grande série.

Monsieur Accomplissement aime traduire les faits en chiffres. Il aime sentir les résultats.

Ils voient tomber les quilles . . .

Un contremaître, un jour, va chez le psychologue: « Expliquez-moi, monsieur le psychologue, pourquoi mes ouvriers n'aiment pas travailler à l'usine? Ils percent des trous et ne semblent pas aimer cela. Je suis obligé de les contrôler constamment. Contrôle le matin, contrôle le midi, contrôle du temps qu'ils passent à la toilette. A cinq heures, ne vous tenez pas à la sortie, c'est la ruée. Pourtant, quand je les rencontre le soir au bowling, ils arrivent à l'heure. Il n'y a pas de cloche, de contremaître, de contrôle. Tout le monde joue. Tout le monde fonctionne à plein. A la fin de la soirée, ils ne veulent pas s'arrêter. Pourquoi, docteur? Lancer des boules, est-ce que c'est plus intéressant que de faire des trous à l'usine? » Le psychologue répondit: « C'est parce qu'au bowling, ils voient les résultats. Ils voient les quilles tomber. Si tu veux qu'ils arrêtent de jouer, mets un drap devant les quilles. Ils vont lancer quelque temps, ils vont écouter les bruits des quilles qui tombent et ils vont cesser de jouer, parce qu'ils ne verront plus les quilles tomber. »

Les gens ont besoin de résultats palpables. Pour s'intéresser à leur métier, il faut qu'ils en voient l'intérêt, qu'on leur en montre les fruits. S'ils percent des trous, il faut au moins qu'ils sachent pourquoi.

Pour gagner des batailles, il faut être dans la bataille. Monsieur Accomplissement aime le sport de compétition. Il aime faire des courses de natation. Faire quarante longueurs. Faire des

courses de ski contre la montre. Pour lui, le golf est un terrain où l'on gagne. Monsieur Accomplissement est un emporté. Il aime ce qui est difficile. Il est attiré par les responsabilités. Il n'a pas peur des échéances. C'est un « démarreur », une locomotive. Il veut toujours savoir du vendeur ce qu'il pourrait lui apporter de plus. « Qu'est-ce que vous pouvez faire pour que je gagne? » Il est direct et indépendant. Il n'aime pas trop demander. Quand vous lui donnez des explications, allez droit au but. Un de mes amis avait tendance à bégayer. Et malgré moi, j'avais le goût de parler à sa place. De terminer le mot ou la phrase qu'il essayait de dire. Mais lui: « Laisse ... laisse ... laisse-moi le dire. » Monsieur Accomplissement lui aussi, aime « le dire » sans l'aide de personne. Il a besoin de votre avis, mais il aime les avis gratuits.

Il est optimiste. Un nouveau produit, pour lui, c'est une chose emballante. Il aime entendre parler de croissance, de progrès, de réussites. Il lit surtout des biographies. Il aime lire celle de Napoléon. Qui était, paraît-il, un piètre amant. Mais Joséphine lui disait le contraire et il la croyait. Tandis que Monsieur Sécurité regarde hier et qu'il se souvient de ses défaites, Monsieur Accomplissement oublie facilement et regarde l'avenir.

Monsieur Réputation

La grande majorité des autres tempéraments balance autour du centre. Certains jours, ils empruntent les traits de Monsieur Sécurité, certains jours ceux de Monsieur Accomplissement. Ils aimeraient garder le gâteau et le manger en même temps. Ils voudraient sauver la chèvre et le chou. Ils sont prêts à prendre des petits risques. A la condition de ne pas compromettre leurs amitiés. Ils parlent aussi bien de punition que de récompense. Ils ne savent pas garder un secret. Ils ont l'habitude de répéter les confidences. Ce sont des personnes à qui vous demandez de garder un secret et qui s'empressent de le répandre. Ils le font parce qu'ils savent que ça fait plaisir. Ils aiment donner des avis. Ils aiment demander conseil. Ils ont beaucoup d'amis.

Ce sont des « Monsieur Réputation ». Celui-ci a toujours quelque chose à dire. Il aime rire même s'il est triste. Il raconte des histoires. Il est sensible et peut être blessé facilement. Les gens qui l'entourent sont avec lui ou contre lui. Il est du type sociable. Il met à l'aise toutes les personnes qui par lui se rencontrent. Il prend ceux qui font du stop. Il ne dîne jamais seul. Il parle aux étrangers. Quand il discute avec quelqu'un, c'est lui qui parle; il n'écoute pas. Il discute continuellement.

Il est habillé selon la mode. Il achète ce que les Américains appellent des *Fad Products,* c'est-à-dire des produits-modes. Il aime les primeurs, les potins, il aime connaître les dessous des histoires. Il s'attendrit aux fins heureuses. Il déploie son portefeuille de cartes de crédit. Il achète des marques connues. Ce qui, de l'extérieur, fait de l'effet. C'est toujours sa secrétaire qui prend les messages. Il essaie de se maintenir au niveau de celui qui représente pour lui l'homme arrivé. Il a beaucoup d'étiquettes collées à ses valises. Il vous invite de préférence à son club. Il ne boit pas un scotch mais un « Saint-Léger ». Il aime qu'on l'appelle Monsieur. Il n'accepte pas la défaite. Quand il a perdu la face, il remonte difficilement la côte. La seule façon de le rejoindre, c'est par l'amitié.

Il ne faut l'écouter qu'à moitié. Il est « soupe au lait », il est cyclique et fantasque: optimiste aujourd'hui, pessimiste demain. Il aime s'entourer d'experts. Il achète un jour et serait prêt à tout retourner au magasin le lendemain. Il dépense toujours un peu plus que ce qu'il gagne. Monsieur Accomplissement recherche votre estime, lui, il recherche votre amitié. Il achète avec l'intention de se faire un ami. En achetant de vous, il pense devenir l'ami d'un homme important. Monsieur Réputation est entouré de photos. Sa dernière photo avec le ministre. Lui et deux millionnaires américains, à la pêche. Il tient bien à la vue une truite de dix-huit pouces. Il a besoin de l'admiration des gens bien. Si Monsieur Accomplissement a atteint le quatrième et le cinquième rêve de sa pyramide, Monsieur Réputation se maintient au troisième.

Les cinq besoins

Il est intéressant de rapprocher nos trois tempéraments des cinq besoins de Mazlow. Le besoin physiologique, le besoin de sécurité, le besoin d'aimer et d'être aimé, le besoin de se réaliser. Ce à quoi les gens rêvent nous aide à analyser leur comportement et à définir leur tempérament. Monsieur Sécurité rêve aux premiers étages de sa pyramide. Monsieur Réputation, à l'étage trois. Monsieur Accomplissement, au quatrième et au cinquième.

D'un point de vue de vendeur, il est intéressant de voir quel est le comportement de nos trois tempéraments habités par leurs différents rêves, par rapport à ces trois catégories de l'histoire des marchés: limités, illimités et différenciés. Le commerce est essentiellement fait de relations humaines; pour cette raison, il intéresse grandement Monsieur Réputation. Comme les Japonais, Monsieur Réputation ne fait pas de transactions avec quelqu'un qui lui est étranger. Il lui faut le connaître et l'estimer avant de parler affaires.

Il semble bien qu'il soit difficile de satisfaire nos cinq besoins en même temps. Ainsi Galbraight a signalé plusieurs contradictions de notre société d'abondance. Par exemple, aujourd'hui, la technologie nous permet de satisfaire notre besoin d'indépendance et de confort, mais elle détruit notre environnement.

Si nous revenons à notre comparaison entre l'histoire des marchés et les besoins de l'homme, nous constatons que les marchés limités correspondent aux besoins primaires de la pyramide et que les marchés illimités répondent aux besoins secondaires. Aujourd'hui, le marché fait appel aux qualités du cinquième rêve. Après l'estime, l'idée de s'accomplir. Monsieur Sécurité était à l'aise lorsque les marchés étaient limités. Monsieur Réputation préfère les marchés illimités. Monsieur Accomplissement se sent chez lui depuis que les marchés sont illimités et différenciés, c'est-à-dire depuis qu'il dispose de tous les produits exclusifs qu'il peut désirer.

Faire son solitaire

Nos jeux ont été longtemps solitaires. Faire son jeu de patience, son « solitaire ». Chez mes grands-parents, on jouait avec des billes sur une table circulaire trouée. Chaque fois que l'on sautait par-dessus une bille, on l'enlevait du jeu. Progressivement, on vidait la table. Le gagnant était celui qui gardait la seule bille restante. Après, on se mit à jouer à des jeux de société. Vers la fin de la crise, on se mit à acheter des terrains. On jouait au Monopoly. On achetait des hôtels, des chemins de fer, des maisons. C'était l'époque de Monsieur Réputation! On joue maintenant à acheter « Des Grands Maîtres ». Qu'est-ce qu'on achète? Des originaux. Des oeuvres qui ajoutent à la qualité de la vie. Des pièces uniques. Des oeuvres qui nous ressemblent: « Il y a du soleil dans cette peinture comme si c'était moi. Il y a de la tristesse, c'est la mienne. »

Monsieur Sécurité rêve donc aux produits robustes et durables qu'on lui impose, à sa voiture solide et à sa motoneige jaune, en faisant son jeu de patience. C'est l'homme des marchés limités.

Monsieur Réputation rêve à ses chaussures espagnoles et italiennes, aux douze mille voitures « Familiales » que lui offre le marché de l'automobile, et il se promène sur le Broadway en jouant au Monopoly avec ses amis. Il correspond au marché illimité.

Monsieur Accomplissement rêve chez lui, devant son Van Gogh ou son Vélasquez. Il rêve en contemplant les trophées qu'il a remportés à son club de golf. Il rêve en lisant la vie de Napoléon et en jouant aux « Grands Maîtres ». Il a besoin d'un marché illimité, mais qui lui offre des produits exclusifs.

Besoins physiologiques et besoin de sécurité	Monsieur Sécurité Le jeu de patience	Marché limité
Besoin d'aimer et d'être aimé	Monsieur Réputation Le Monopoly	Marché illimité
Besoin de se réaliser	Monsieur Accomplissement Les Grands Maîtres	Marché illimité et différencié

Je fais des rêves

Il est intéressant d'analyser les besoins et les rêves des autres. Les tempéraments et les comportements des autres. Mais il est utile de se pencher sur ses propres rêves et ses propres comportements. Je fais des rêves. Je peux savoir de quoi j'ai l'air. Je peux savoir à quel étage de la pyramide, je me situe. Je sais que je ne pourrai aider l'autre que si je dépasse les besoins primaires, que si je sors de mon égocentrisme. Celui qui peut donner de l'assurance, c'est celui qui l'a déjà. Celui qui peut donner de l'amitié, c'est celui qui la possède à l'intérieur. Celui qui transmet l'estime s'estime déjà. Celui qui fait en sorte que l'autre s'accomplisse a su d'abord s'accomplir. A la base de tout, il y a soi. Avant de vivre en société, il faut vivre avec soi-même. Il faut découvrir ses « moteurs ». Sentir que la plus grande joie consiste à aider l'autre. S'accepter. Etre soi vraiment. Le bon vendeur devrait faire ce que l'on faisait autrefois, au début de l'année scolaire: une retraite fermée. Se tâter le pouls. S'analyser, le temps d'un week-end: « Où suis-je, moi, dans la pyramide? Est-ce que je grimpe? Est-ce que je deviens moi? Est-ce que j'ai l'impression de devenir de plus en plus petit ou de plus en plus grand? Est-ce que j'ai l'impression de disparaître lentement ou de me réaliser? »

Où suis-je, moi, dans la pyramide?

La clef des rêves

A la base des relations humaines et de la vente, pour l'homme, cet être plein de rêves et de besoins qui vit en société, il y a la communication. Tout le monde parle du problème des communications et cherche à le résoudre. Des entreprises ne s'occupent que de communication: pourquoi telle chose n'a pas été accomplie? C'est parce qu'elle n'a pas été comprise; elle a été mal communiquée. C'est la clef, semble-t-il. On a toujours pensé que l'on communiquait pour soi. En fonction de soi. Ce qui est faux. On communique pour que l'autre comprenne.

Je vous ai parlé de ma famille, de mon petit laboratoire humain. Ce n'est que lorsque le troisième de mes fils a traversé sa crise d'adolescence que je me suis rendu compte d'une chose importante. Tout ce que j'avais dit au premier n'a pas été nécessairement compris du deuxième ou du troisième. Ils n'étaient pas ensemble quand je l'ai dit. Avec le deuxième, tout est à recommencer. De même avec le troisième. Avec cinq enfants, il faudra recommencer cinq fois. On dit: « Telle ou telle politique n'a pas été observée ». Pourquoi? Parce que les gens n'ont pas compris.

Le coup du noyau

Lors d'un voyage en Algérie, dans une usine où l'on fait l'empaquetage des dattes pour l'exportation, je me suis rendu compte que les dattes étaient placées dans de jolies boîtes en bois et couvertes d'une feuille de plastique. Bien entendu, on avait engagé des Algériens qui se nourrissaient eux-mêmes de dattes. Pour les intéresser, on leur expliqua qu'ils pourraient en manger à satiété. Les salaires étaient faibles, mais les ouvriers pouvaient déduire au départ le coût de leur nourriture. Malheureusement, ils jetaient les noyaux des dattes qu'ils mangeaient sur le plancher, ce qui le rendait glissant et dangereux. Le gérant de l'usine dut leur demander de ne plus le faire. Dans la tête des ouvriers, cette remarque fut mal interprétée: ils crurent, un instant, que l'on cherchait une façon de contrôler ce qu'ils mangeaient. Alors, ils ont réglé le problème: pendant les trois mois suivants, pas un seul noyau sur le plancher. Mais commencèrent les problèmes d'égouts. Une deuxième réunion fut tenue dans le but d'expliquer aux ouvriers de ne pas jeter les noyaux dans les égouts. De nouveau, ils ont réglé le problème: pas un noyau sur le plancher, pas un noyau dans les égouts. La chose dura quelques mois. Jusqu'au jour, où les clients commencèrent à se plaindre. Ils trouvaient des noyaux dans les boîtes. Troisième réunion. Quelqu'un eut l'idée d'installer des paniers dans lesquels les ouvriers pouvaient jeter leurs noyaux, paniers qu'ils videraient eux-mêmes, sans que la direction vérifie s'ils mangeaient peu ou beaucoup de dattes. Le problème était réglé.

La communication

Communiquer, c'est faire comprendre à l'autre. C'est vérifier si l'autre a compris. Pourquoi l'autre est-il important? Parce qu'il est égocentrique. Il ne s'intéresse qu'à lui-même. « Aimez votre prochain comme vous-même ». Au départ, on s'aime et ensuite on aime. Quand vous communiquez avec un humain, vous communiquez avec quelqu'un qui ne pense qu'à lui, qui ne pense qu'à ses besoins et à ses rêves. Par exemple, c'est sûr que je vais échouer, si je me présente chez un client et que je lui dis: « Monsieur, j'ai à vous offrir un produit extraordinaire, une maison avec un plan de financement à long terme », alors que je devrais lui dire le contraire: « Une maison que vous devez payer comptant ... » Aujourd'hui, qui veut entendre parler d'un tapis qui dure toute une vie? Le client cherche peut-être l'argument contraire à celui que vous lui servez. Le tapis qui ne dure pas une vie durant. Chacun a ses propres raisons. Selon son cycle à lui. Un rêve, un besoin, une solution, un changement, de nouveaux rêves et de nouveaux changements. De nouveaux problèmes, de nouvelles solutions. On fait la boucle. Quand quelqu'un commence à communiquer avec moi, inconsciemment, je cherche à savoir où il se situe sur sa roue. Je me demande si ce que je dis est pour lui une solution, un problème, un rêve, un besoin. Ce que je dis produit-il l'effet contraire de ce que j'espérais? Pourquoi ce que je dis peut-il être un obstacle à notre communication?

La perception

Un émetteur, un message, un receveur. Et la communication sera réelle quand le message émis par l'émetteur sera reçu par le receveur. C'est facile à dire. Le problème, c'est que le receveur, lui aussi, a une image à projeter. Il a une image toute faite avant le message, une image qui est fonction de ce qu'il est. Si je dis: « voiture », un père de famille de six enfants pensera « Familiale », un jeune de dix-neuf ans qui en a les moyens, pensera « voiture sport », le président d'une grande compagnie pensera à une voiture de luxe. Le mot voiture est subjectif. Tous les mots sont subjectifs. Ils ne correspondent pas à la même image. Nos écrans ne reproduisent pas les mêmes images. Et que dire des mots abstraits? Que veut dire le mot « réussite »? Pour l'un, c'est dix mille dollars. Pour l'autre, c'est cent mille. Pour un troisième, ce n'est pas de l'argent. Ce n'est ni une question de zéro, ni une question de virgule. Le mot « réussite » a un sens différent selon l'individu qui reçoit le message. La communication à sens unique, faite d'un seul émetteur, ce n'est pas de la communication. C'est le danger que court la télévision. Et c'est de là que vient l'idée de la télévision communautaire. La communauté pourra s'exprimer et recevoir la réponse. Un livre n'est pas une « communication ». C'est un message envoyé dans un seul sens. C'est une information. Le mot « guerre » veut dire quoi? Pour qui? « Chypre »: vision des Turcs et des Grecs. Et l'étranger retenu dans un hôtel pendant trois jours, que voit-il? Le bruit des canons et des chars, le sifflement des balles, la poursuite des soldats dans la ville, la mitrailleuse sur le toit. Quant à l'aviateur! . . .

Le premier obstacle à surmonter: la perception subjective. Chaque personne perçoit d'une façon particulière. Et en plus, sa perception est sélective. Dans toutes les communications, quelques points surtout me « frappent ». Vous me parlez pendant une demi-heure et je n'en retiens que cinq minutes. Et seulement un pour cent de ce que je retiens sera susceptible de m'aider. Je « sélectionne » les messages que m'envoient les autres. C'est le problème de la publicité. C'est le problème de l'information. Les gens sélectionnent parmi les événements qui ont lieu. Ma perception comme receveur est influencée par la répétition. Les messages peuvent être envoyés à des vitesses qui n'atteignent que mon inconscient. Je ne les ai pas vu passer. Et pourtant, je les ai enregistrés. Le message qu'on n'envoie qu'une fois ne marque pas. Il faut recommencer mais éviter d'atteindre le point de saturation. Ainsi le message rejoint. On reçoit de lui une sommation; on est obligé d'agir.

La mémoire

Un deuxième obstacle: la mémoire du récepteur. Son expérience. Il comprend plus ou il comprend moins. Il a dans la tête des images plus ou moins vives, selon qu'il a déjà vécu la même expérience. Une personne que j'ai rencontrée vend des classeurs à l'épreuve du feu: « Mes meilleurs clients sont ceux qui viennent de connaître un incendie. Dernièrement, par exemple, je visite un bureau de comptables; vous avez déjà vu un pauvre homme essayer d'ouvrir son classeur noirci qui tombe en poussière? Je n'ai eu qu'à lui présenter ma carte: « Classeurs à l'épreuve du feu ». Il a dit: « Oui, il nous en faut sept. » Rien d'autre. La communication était simple. J'avais ce qui correspondait à son rêve. Celui qui sort d'un accident rêve de s'assurer. Si « mon » expérience est celle de personnes qui me sont chères, je comprendrai mieux le message de l'émetteur. Rien n'est plus fort. Le vendeur doit savoir raccrocher sa réponse à la question la plus présente et la plus actuelle.

La relation de cause à effet ne reflète pas toujours un fait réel. Celui qui vous dit « non » ne le dit pas nécessairement parce que ce que vous lui dites est faux. Ce n'est pas toujours non plus parce que ce que vous lui dites est vrai. Vous devez tenir compte de ses sentiments. Il est pressé par quelque chose d'autre. Le rêve qu'il tente de réaliser n'est pas celui que vous voudriez satisfaire. Si vous réussissez à raccrocher son rêve à votre solution ou votre solution à son rêve, vous venez de faire un grand pas dans la communication.

Le restaurant Pizza

Une dame passe sa journée à répondre au téléphone:

« Non, ce n'est pas le restaurant Pizza. » Au début, elle explique qu'il s'agit du mauvais numéro. Mais à la fin de la journée, n'en pouvant plus, elle appelle la compagnie de téléphone et, rageusement, elle explique que la situation ne peut durer. Son mari qui assiste à la scène, est étonné de voir qu'elle est aussi fâchée. A la fin, elle raccroche en s'excusant presque. Tout ce que lui a dit l'employé, après lui avoir laissé vider son sac, c'est qu'il « va s'en occuper ». Le « récepteur » de la dame s'est remis à fonctionner lorsqu'elle a été libérée de sa tension. C'est capital en communication.

Les relations entre émetteur et récepteur

La relation entre l'émetteur et le récepteur du message a aussi son importance. Une relation de supérieur à inférieur change tout. Lorsque c'est son patron qui parle, le récepteur ne comprend pas le message de la même façon: « Si mon patron dit cela, c'est parce qu'il veut faire plus d'argent, il nous met plus de travail sur le dos, c'est pour cela qu'il nous demande de travailler le soir. » Le fait que l'émetteur soit d'une génération et le récepteur de l'autre change aussi beaucoup de choses. La vieille génération et la jeune.

« Ils me disent de partir . . . »

Un médecin travaille dans un hôpital durant cinquante ans. On décide de le fêter. Mais lui n'est pas sûr qu'il en est content: « Cette fête, c'est peut-être une façon que les jeunes médecins ont de me dire de partir. » Le cadeau d'anniversaire, c'est un livre: « C'est peut-être ce qu'ils souhaitent, que je fasse de la lecture. » Et si on n'avait pas fêté? Qu'aurait dit le médecin? « Ah! ces jeunes médecins, ils sont égoïstes. Ils n'ont pas pensé à me remercier. » D'égal à égal, la communication aurait été différente.

Parler à un ami. Qu'est-ce qui fait qu'un ami c'est si précieux? Pourquoi appelle-t-on cela un ami? Un ami est capable de parler de vous. Il s'intéresse à vous. Il peut s'oublier et vous parler de vous. Voulez-vous vraiment que quelqu'un vous comprenne? Que quelqu'un vous accepte? Que quelqu'un soit prêt à agir dans le sens que vous proposez? Parlez-lui de lui. Mettez-le au centre. C'est lui, le milieu de l'affaire. Parlez-lui de son problème. Oubliez le vôtre. Etre sensible comme l'astronaute. Etre sympathique à l'enfant qui a perdu sa boule de crème glacée. Savoir se mettre dans les bottines de l'autre. Pouvoir se dire: je deviens quasiment l'autre. Si j'étais à sa place, comment je réagirais? Quand on a atteint cela, on est quelqu'un qui communique.

Il nota dix points et s'endormit

Le directeur d'une petite agence de publicité désirait grandir, comme tout le monde. Il entendit dire que la compagnie de tabac Lucky Strike désirait changer d'agence. Une affaire de quelques millions, des revenus substantiels. Il prit rendez-vous avec le président. La veille de sa rencontre, il mit sur papier ce qu'il croyait être les besoins du président de Lucky Strike. « Si j'étais président, qu'est-ce que j'attendrais d'une agence de publicité? » Il nota dix points importants et s'endormit. Le lendemain matin il présenta ses notes au président qui lui expliqua avoir fait le même exercice mais « en restant dans sa peau ». Ils comparèrent. Les deux feuilles étaient sur huit points identiques. L'affaire était réglée. La jeune agence avait le contrat qui la mit au monde.

Voulez-vous vendre à votre fils une idée? Remettez-vous dans la peau d'un grand garçon. D'une grande fille. Si vous aviez aujourd'hui dix-huit ans, comment réagiriez-vous à un manque de confiance, à quelqu'un qui veut vous imposer sa personnalité? Comment réagiriez-vous si votre père décidait pour vous de ce que vous avez le droit de dépenser? Une personne membre d'une famille de seize enfants travaille dans l'entreprise paternelle. Huit de ses frères et soeurs travaillent aussi dans l'entreprise et chacun touche le même salaire. Le père a quatre-vingts ans. Il vit dans une autre génération. Pour lui, tout ce que ses enfants demandent est luxe. Un piano dans une maison, c'est un luxe. Une voiture un peu plus grosse, c'est aussi un luxe. J'ai demandé à celui qui me racontait ses difficultés s'il ne faisait pas la même chose avec son fils à qui il avait refusé un voyage: « Dans ton temps, ça ne se faisait pas. Ton fils réagit à ton attitude comme toi tu réagis à celle de ton père. Tu as, à quarante-cinq ans, le double de l'âge de ton fils. Et ton père, à quatre-vingts, a le double de ton âge. Pour un garçon de vingt ans, l'homme de quarante est déjà un grand-père. »

Communication et gravité universelle

Merlyn Cundiff, dans son livre *Kinesics — Comment commander en silence,* dit que la communication, qui est à la base de toutes les relations humaines, est une loi aussi forte que celle de la gravité universelle. Dans l'économie et dans la vie. « Si vous mettez assez de temps et d'efforts pour aider quelqu'un à obtenir ce qu'il veut, automatiquement vous obtiendrez ce que vous voulez. » A résoudre le problème de l'autre, vous trouverez la solution à vos problèmes. Si vous ne trouvez pas toujours la solution, du moins vous aurez diminué la gravité de vos problèmes. Si vous offrez un produit, vous devez d'abord communiquer à l'autre l'intérêt que vous avez à résoudre son problème plutôt que de disposer de votre produit. Il doit comprendre que vous lui rendez service et que vous ne le faites pas d'abord pour gagner. La communication est une avenue qui va dans les deux sens.

« Sinon, nous en aurons deux »

A la fin du siècle dernier, les compagnies de chemin de fer du Canada essayèrent, avec l'intention très ferme de réussir, de joindre l'Est à l'Ouest. Vous n'avez qu'à penser à *Il était une fois dans l'Ouest* de Sergio Leone. L'ingénieur d'une compagnie qui tentait de gagner, décida, devant les Rocheuses à traverser, de creuser son tunnel en commençant par les deux bouts: « Nous allons, messieurs, nous diviser. Le premier groupe creusera d'est en ouest et l'autre, d'ouest en est. Si nous nous rencontrons au centre, nous aurons un tunnel. Sinon, nous en aurons deux. » Les communications sont malheureusement, de nos jours, deux tunnels qui ne se rencontrent pas. L'émetteur pense à son message sans se préoccuper assez du récepteur. Et vice-versa. A.P. Mufflers se servait d'un slogan extraordinaire: « Don't sell me, help me and I will buy. » « Fais-moi sentir que tu m'aides et j'achèterai. »

Un seul m'a demandé ce que je faisais . . .

J'ai travaillé pour une fabrique de maisons préfabriquées. Pour mieux comprendre le produit, je m'y suis rendu avec ma femme et nous avons fait semblant d'acheter. J'ai été surpris: les vendeurs me parlaient de leurs maisons et du terrain qu'ils étaient prêts à me vendre. Très peu s'inquiétaient de ce que je voulais: « Qu'est-ce que vous cherchez? Quel est votre rêve? » Ils ne m'avaient pas accroché, moi. Je suis resté indifférent. Un seul m'a demandé ce que je faisais dans la vie: quelle était ma famille? Mon travail m'obligeait-il à voyager? Aimais-je la campagne? Lui seul me donnait l'impression de s'intéresser à moi. De vouloir m'aider.

L'indifférence

L'inverse de l'amour, ce n'est pas la haine. C'est l'indifférence. Le mal du siècle. Notre communication souffre d'indifférence. Les gens ne sentent pas qu'on leur parle, qu'on pense à eux. On leur lit des textes. Mais pas avec leurs mots. « I love me best. » « Je m'aime plus quand tu me parles. Tes communications me grandissent. » Combien de nos communications nous grandissent? Avant de commencer ce livre, étiez-vous en train de creuser deux ou un tunnel? « Ce n'est pas de ma faute, elle n'a pas compris. » Si elle n'a pas compris, c'est que vous n'avez pas communiqué. Quand vous me dites: « Nous sommes, monsieur, en affaires depuis 1898 » ... Et puis après? Moi, ça me fait peur. C'est peut-être une vieille compagnie. Encrassée dans son conservatisme. Visières vertes, manchettes noires. Et pourtant, vous voulez me dire le contraire: « Nous avons acquis une longue expérience. » Mais vous ne m'avez parlé que de vous. « Nous sommes nés en 98 pour mieux vous servir. » Voilà ce qui manquait à la phrase. Vendre, c'est rendre service. C'est ce qui fait de la profession de vendeur une des plus belles professions au monde. Communiquer, c'est aussi rendre service. Le meilleur moyen de s'épanouir, c'est d'aider l'autre à grimper dans la pyramide. L'émetteur et le receveur y gagnent tous les deux.

Vendre de la lumière

A la fin d'une session tenue à Tadoussac, il y a quelques années, un capitaine de goélette s'est approché de moi et m'a dit: « Monsieur Chaput, vous m'avez parlé. » J'avais changé un peu cet homme-là. Vendre, c'est faire en sorte que quelqu'un « s'allume ». L'homme heureux, ce n'est pas celui qui vend à l'autre de la lumière. C'est celui qui la voit s'allumer dans ses yeux. Il y a toujours l'autre. L'autre est partout. L'autre, c'est le prochain, dit Julien Green. C'est celui qui souffre. C'est celui qui fait souffrir. Qui aime ou qui n'est pas aimé. Le complice ou l'ennemi. Le missionnaire perdu dans la brousse se dépense pour l'autre. Plus il se dépense, plus il grandit. Plus il aime Dieu. « La preuve que je L'aime, c'est que j'aide les autres. » Et si le doute se met dans son esprit, s'il se demande si c'est vrai « l'histoire », il cesse d'aider les autres. Son rêve n'est plus satisfait. Son rêve d'aider l'autre est accroché à son rêve de s'aider lui-même. Vendre, c'est communiquer à l'autre son rêve. C'est rêver au rêve de l'autre et c'est aider l'autre à rêver son rêve. Vendre, c'est communiquer.

Anatomie
d'une vente

Prenez votre courage à deux mains, nous allons jeter un coup d'oeil dans le dictionnaire anglais au mot: TO SELL; puisque les Anglais ont la réputation d'avoir inventé l'art de vendre, regardons dans le plus gros des Webster: « To deliver or give up in violation of duty, trust, or loyalty: TO BETRAY, trahir. » Faut-il aller plus loin? « To deliver into slavery for money, to give into the power of another (sold his vote); TO CHEAT, HOAX, etc., etc. N'insistons pas. Huit sur dix des définitions sont négatives. Le dictionnaire ramasse des définitions à toutes les époques. Et toutes les époques ne se font pas une même opinion de la vente.

La revue *Sales Management* fit, en 1962, une enquête auprès de mille étudiants mâles américains des collèges et des universités: « Que signifie le mot vendre? » Les réponses les plus étonnantes ont été données. « Ce n'est pas une profession, c'est une job. » Pour vendre, il faut mentir et décevoir. » « La vente fait émerger le pire de l'homme. » « Pour être bon vendeur, il faut être mésadapté. » « Pour réussir il faut être arrogant et créer une pression. » « Les vendeurs ont une vie dégradante et décourageante car ils doivent continuellement faire illusion. » « Le vendeur se prostitue en vendant ses valeurs humaines pour des dollars. » Vendre, c'est, dans l'esprit de plusieurs, créer des besoins. C'est faux. On ne crée pas des besoins chez les gens. On les réveille.

« Vous avez toujours le même toit? »

Le couvreur (celui qui refait la toiture de votre maison) était en train de refaire la toiture de mon voisin. Il sonne chez moi. « Je suis en train de réparer la toiture de votre voisin. Je me demandais si je ne pourrais pas refaire la vôtre. Vous avez une belle maison, mais elle n'est pas jeune. Vous avez toujours le même toit? Vous savez que votre toiture ne pourra pas durer encore longtemps. Après treize ou quatorze ans, un toit ... Vous me dites que votre maison a vingt ans! Et un toit qui coule, c'est quelque chose: des fissures au plafond, l'eau le long des murs; le papier peint se décolle; le tapis sent le moisi. Et ça se produit généralement l'hiver, et l'hiver, dans notre Belle Province, ce n'est pas facile de refaire un toit ... La neige, la glace ... Et comme je suis en train de travailler chez votre voisin, je pourrais vous donner un escompte. Je pourrais commencer demain matin. »

Le couvreur n'a pas créé un besoin. Je l'avais, le besoin. Le vendeur a réveillé un besoin qui était déjà là. Faire en sorte que les gens voient mieux ce qu'ils cherchent. Un homme de science américain disait: les gens achètent moins, non parce qu'ils comprennent leur rêve mais plutôt parce qu'ils sentent que vous, le vendeur, vous le comprenez.

« Jusqu'à ce que je me sente fermier »

Un jour Larry Wilson, un expert de la vente aux Etats-Unis, disait à un de ses amis, directeur d'un service de création dans une agence de publicité: « Comment fais-tu pour rédiger les bonnes annonces publicitaires que ton agence produit? » « C'est facile, de dire cet ami, si je dois rédiger une annonce pour instruments aratoires, je m'enferme dans mon bureau, je coupe le téléphone, je baisse les stores, je ferme les yeux, et je m'imagine fermier. Je vois ma maison. Ma grange. Les clôtures et tout le reste. Jusqu'à ce que je me sente fermier. C'est là que je commence à rédiger l'annonce que je veux vendre. »

Si vous êtes bon vendeur, vous me faites voir un rêve qui m'intéresse. Un rêve qui était mien, mais mal défini. Vous avez deviné mon rêve. Vous m'avez posé les bonnes questions et j'ai deviné mon rêve. Vous m'avez d'une certaine façon déséquilibré: j'étais en paix, je n'osais pas penser à ma toiture prête à couler. J'étais en paix, je ne pensais pas à un bateau. Je me disais que ce n'était pas pour moi. Et le vendeur m'a dit: il est beau le bateau. Il est beau le tableau. Il est beau le disque. C'est un bateau qui remplit toutes les normes de la sécurité. Il ne coule pas. Il est rapide, spacieux, confortable. Et je sentais en moi naître un désir. J'étais bien sans cette idée de bateau. Je ne le voyais pas. Mais maintenant, je me vois sur la rivière. Départ le dimanche matin. Retour après le pique-nique, à la fin de l'après-midi. Je suis « malade » de ce bateau. Et la façon de me guérir, c'est d'acheter le bateau. La vente consiste à faire monter la pression, à développer la fièvre à l'intérieur. Jusqu'à ce que je demande quel en est le mode de financement: « Est-ce qu'on peut s'arranger sur les termes? Est-ce que je l'aurai samedi? » Et vous achetez.

La recette

Comment se fait une vente? D'abord par la découverte du rêve de l'homme qui est en face. Quel est son besoin? Je dois par la suite capter son attention. Il doit vouloir faire des affaires avec moi. Il doit savoir que je veux l'aider. Je dois aussi lui proposer ma solution, répondre à ses objections, lui faire une proposition claire, l'aider à vaincre sa peur. L'ordre importe peu. La proposition peut être faite en premier. Mais invariablement, trois étapes accompagnent toute vente: proposer, faire rêver, conclure. J'étudie une recette. Je dissèque une vente. Je la découpe en trois moments. Mais ce qui est important, c'est votre recette et non la mienne. Pensez à ce que les Américains appelaient des « Can Sales Pitch », « des recettes mises en conserve ». Toutes faites et à répéter intégralement. Au contraire, chacun doit se faire une recette personnelle. La seule chose, c'est de ne pas négliger l'un ou l'autre des trois éléments. Vous pouvez commencer par la proposition. Mais n'oubliez pas de découvrir le rêve. C'est une erreur courante de ne pas le faire. Et si vous découvrez le rêve et si vous faites une proposition précise, n'oubliez pas d'aider le client à « finir » sa vente. Le petit coup de pouce qui l'aidera à acheter. Vous devez clore la vente. Malheureusement, plusieurs négligent ce dernier point. « Pensez-y, monsieur Tremblay et vous me rappellerez. » Et ils ne vendent pas. Faites votre travail d'écolier. Analysez vos ventes de la semaine. Etes-vous passé au travers des trois étapes? Avez-vous la capacité de rêver vous-même? Si je n'aime pas manger, je ne serai pas bon cuisinier. Je dois pouvoir rêver le rêve de l'autre.

Je découvre l'autre

Découvrir l'autre. Il n'y a pas de vérité, de communication, de relation humaine sans la découverte de l'autre. Au départ, il faut créer un climat, un style, un sentiment qui permette à l'autre de saisir que je suis à son service. Je veux l'aider à réaliser son rêve. Pour pouvoir lui peindre ce rêve, pour pouvoir le lui montrer, pour répondre à son rêve, je dois d'abord le découvrir.

1. Donner une bonne impression

Soigner son style, sa communication verbale et non verbale. Soigner la première impression. Combien de personnes sont dérangées ou même irritées par l'habit que porte le vendeur.

— Jean-Marc, est-ce que je devrais avoir une barbe?

— Si tu veux vendre des instruments de jazz, il est peut-être important que tu portes une grande moustache ou les cheveux longs, mais si tu vends des fonds de pension à des personnes âgées . . .

— Est-ce que je devrais fumer?

— Je ne le sais pas. Tu dois savoir jusqu'où, toi, tu es toi.

N'oubliez pas que c'est vous que vous vendez. Vous êtes pour l'autre une expérience nouvelle à vivre. Lui aussi se demande qui vous êtes. Il doit rapidement détecter votre sincérité. Il doit sentir que votre démarche est sincère. Il ne faut pas seulement lui donner l'impression que vous êtes un ami. Il doit savoir que vous êtes un ami. Il doit pouvoir exercer son besoin de sympathie. La vôtre doit aussi s'exprimer. Par votre attitude: un sourire, un bon mot. Une capacité d'être avec lui, proche de lui: « Il pense à moi, cet homme-là. » Les Américains disent: « Business is sensitive, it goes only where it is invited and stays only where it is well treated. » Et pas seulement les affaires, toute la vie en société est affaire de sensibilité. L'autre s'intéresse à vous s'il est bienvenu et s'il est bien traité. Vous devez traduire ce sentiment dès la première minute de votre rencontre.

Une ambiance de confiance

Cherchez à le comprendre, à savoir comment il va, qui il est. Avant même de poser la première question, vous parlez avec votre corps. Et vous pouvez en faire l'expérience devant un miroir. Prenez une allure désabusée, épaules vers l'avant, coin gauche de la bouche relevé et, pendant que vous jouez le rôle de l'individu fatigué et lassé, essayez de dire: « Je suis très intéressé par ce que vous êtes, je voudrais vous communiquer l'intérêt que je porte à votre rêve, je suis là pour vous aider . . . » Ridicule! Donnez-vous une attitude plus dynamique et dites: « Je voudrais vous aider. » C'est déjà plus vrai. Vous parlez avec votre allure. Je vois des vendeurs qui se présentent chez un client et qui, avant de parler, poussent un profond soupir: « Je suis mort, c'est mon dix-huitième client de la journée! » J'ai vu, lors d'une réception, une personne à qui on faisait les présentations d'usage pousser le même soupir: « Ah! que de gens ennuyeux! que de noms à retenir! » D'autres ne décroisent jamais les bras. Ils ont l'air des gardes du roi. Et ils espèrent que les autres seront à l'aise. Beaucoup ont les yeux tristes. Allez donc parler de vos dernières vacances heureuses, essayer de parler du soleil, avec ces yeux-là. Et ce climat de confiance ne sera pas utile seulement au début, vous devrez le conserver tout le temps que durera l'entrevue. Vous me dites que vous voulez m'aider et vous commencez par me donner une claque derrière l'épaule. Décidez-vous. Vous voulez me frapper ou m'aider. C'est quoi . . . c'est la guerre? Qui a décidé de m'appeler Jean-Marc? Au début, je m'appelais monsieur Chaput. Pourquoi me faire un clin d'oeil comme si j'étais votre complice? Je veux savoir si je vous intéresse. Pourquoi ne me regardez-vous pas? Pourquoi toujours les yeux ailleurs ou dans le vide? Ce que vous me dites, en ne me regardant pas, c'est que vous fuyez. Si vous tambourinez sur la table, c'est que vous n'êtes pas intéressé. Je n'ai pas encore capté votre attention. Vous êtes nerveux, impatient. Vous vous balancez les pieds sous la table. Détendez-vous en laissant pendre votre soulier au bout de votre pied comme font les femmes souvent.

Vous êtes le centre

Etablissez un climat. Que votre style personnel va créer. Avant d'avoir engagé la conversation par des paroles. Ce qui est important quand je vous ai en face de moi, vous, l'autre, c'est que je communique que vous êtes le centre. Je suis différent mais je pense à vous. Une communication réelle est possible entre nous. Je vous dis: « Salut ». Je vous dis: « La paix ». Deux doigts en forme de V. Je me suis servi de ce signe au Japon. Un ami a pu communiquer en Israël par le geste uniquement. Je ne viens pas vous vendre, vous imposer mon goût ou ce que je recherche moi-même. Au contraire.

Je vous écoute

Vous n'avez pas devant vous une machine à paroles qui n'arrête jamais. « Avant de vous parler de nos appareils, j'aimerais vous poser quelques questions. » Vous permettre de vous exprimer. « Avant de vous montrer nos modèles, j'aimerais vous poser quelques questions. » Je suis celui qui écoute. Je tiens à savoir ce que vous pensez. Poser des questions est une tâche des plus difficiles. Elle nous empêche de nous exprimer. Elle nous oblige à écouter l'autre. Et les gens aiment parler d'eux-mêmes. Ils acceptent les idées opposées aux leurs si, d'abord, ils ont pu exprimer leurs sentiments. Ça va de pair. Un professionnel de la vente vous dira sans hésiter que l'erreur c'est d'oublier de laisser parler l'autre. Dans votre prochaine conversation, dans cinq minutes, essayez de ne poser que des questions. Ne soyez pas toujours prêt à interrompre. A chaque mot, vous avez l'occasion de parler et à chaque mot vous avez aussi la chance de vous faire un ami de plus. Et donc d'aider l'autre à se grandir.

Demandez-vous si:

Vous vous sentez à l'aise avec quelqu'un qui a tendance à être d'accord avec vous.

Vous faites tout ce que vous pouvez pour éviter ceux qui ne sont pas d'accord avec vous.

La vraie persuasion

La question bien posée vous permet de récompenser le client en l'approuvant. Lui montrer l'intérêt que vous lui portez. Il vous rendra la pareille. L'écouter sincèrement. Et l'autre dira à son tour: « Et vous, comment ça va? Qu'est-ce qu'il y a de neuf de votre côté? » Et que fait-il? Il vous récompense de l'avoir écouté. Pensez aux gens que vous aimez. Ceux avec qui vous avez du plaisir à discuter. Vos amis parlent-ils tout le temps?

Dominent-ils les conversations? Savent-ils tout ce que vous allez dire sans avoir à vous écouter? Etes-vous attirés par ceux qui ne vous donnent pas la chance de vous exprimer? Nous sommes attirés par ceux qui nous écoutent. La vraie persuasion, c'est l'art de poser des questions.

Voulez-vous le connaître mon rêve? Posez-moi des questions. Faites-moi comprendre que je vous intéresse. Mais que vous n'êtes pas « intéressé ». Que vous ne voulez pas me vendre, toucher votre commission. Faites-le gratuitement. Rendez-moi service et ne demandez rien. Vous voulez me rendre service, posez-moi des questions. J'aime parler. Donnez-moi une piste.

Changez votre technique de vente. Abandonnez la méthode autoritaire et adoptez celle de l'interview. Vous allez créer une pression, mais à l'intérieur. Vous allez permettre à votre client d'exprimer et de découvrir son rêve. Posez des questions. Ecoutez.

2. Poser les bonnes questions

La technique par excellence des animateurs de la télévision. Pensez à l'émission *Appelez-moi Lise*. Madame Lise Payette pose ses questions selon certaines règles qu'il est bon d'étudier. Règles que le vendeur peut suivre et que vous pouvez suivre partout dans la vie, quand vous parlez avec quelqu'un ou quand vous achetez.

Première règle

Ne jamais utiliser des questions qui se terminent par un oui ou par un non. Quelqu'un vous demande si vous aimez la pêche « Non! — Le golf? — Non! — La natation? — Non! — la lecture? — Non! » Tout tombe à vide. Il n'a pas réussi à « embarquer » l'autre. Ne pas poser de questions du genre: « Voulez-vous que?... Est-ce que je peux vous aider?... » Non. Je ne veux pas que vous m'aidiez. Je veux que vous rêviez avec moi. Devant le fauteuil à acheter ou l'appareil de télévision. Devant le réfrigérateur.

La technique de la question est importante. L'interlocuteur ne doit pas avoir à répondre par un oui ou par un non.

— Quel sport pratiquez-vous?

— Je ne pratique aucun sport.

— Quel sport avez-vous déjà pratiqué?

— Quel sport aimeriez-vous pratiquer?

« Avant ou après le souper? »

Il y avait eu un décès dans la famille. Ma femme me demanda si je voulais faire une visite au salon mortuaire. Quelle question à poser! J'ai répondu non. Mais une communication non verbale visible sur mon visage disait à ma femme qu'elle n'avait pas posé la bonne question. Elle aurait pu me demander la même chose sans que j'aie à répondre par un oui ou par un non. Elle aurait pu dire: « Est-ce que tu viens au salon mortuaire avant ou après le souper? » Je n'aurais pas pu répondre non. J'aurais dû dire oui et décider si j'irai avant ou après le souper.

Deuxième règle

Evitez de donner la réponse en posant la question. L'interlocuteur ne doit pas dire après votre question: « Vous l'avez dit. » Evitez les questions négatives du genre: « Vous n'en prendrez pas cette année? » — « Vous n'en voulez pas, hein? » — « Eh bien! non, je n'en veux pas, vous venez de me le dire. »

Histoire de jésuite

Un jésuite rencontre un franciscain au Vatican. Le jésuite et le franciscain désiraient fumer le cigare durant la méditation. Ils décidèrent de demander chacun de leur côté l'autorisation. A l'heure de la méditation, seul le jésuite fumait avec un plaisir évident. Le franciscain dit au jésuite: « Vous n'avez pas demandé la permission? » Et le jésuite de répondre « si ». Le franciscain ajoute: « Moi,

on m'a dit que durant la méditation, il ne fallait faire que cela. » Et le jésuite de répliquer: « Mais, cher père, vous avez mal posé la question. J'ai demandé si on pouvait prier Dieu en toutes circonstances? Et le supérieur m'a dit que oui. Alors je lui ai demandé si je pouvais méditer en fumant . . . »

Troisième règle

Utiliser des questions indirectes. Ne pas révéler exactement ce que vous cherchez. Eviter que l'interlocuteur réponde en ayant un préjugé: « Qu'est-ce qu'il vient m'arracher comme argent? »

L'as de coeur

Larry Wilson, dans son livre *Salesonics,* suggère de faire cet exercice. Prenez un jeu de cartes. Placez l'as de coeur sur le dessus et posez à votre interlocuteur quelques questions. « Combien y a-t-il de cartes dans le jeu? (cinquante-deux) Combien de familles de cartes? (quatre) Combien de couleurs? (deux) Nommez-les? (rouge et noir) Nommez les noires? (trèfle et pique) Les rouges? (coeur et carreau) Choisissez entre coeur et carreau: Coeur! Si l'interviewé répond carreau, vous lui demandez de nommer la famille restante: Coeur! Si l'as est la carte supérieure, nommez les trois inférieures (deux, trois, quatre), les trois supérieures (dame, roi, as). Si vous avez à choisir entre les trois supérieures, laquelle prenez-vous? Roi! Entre celles qui restent: dame et as, etc., et vous retournez l'as de coeur. Vous cherchiez l'as de coeur. Toutes les questions étaient orientées. Et l'autre pouvait répondre librement sans aucune méfiance.

Quatrième règle

Etre simple. Ne pas poser des questions qui demandent deux réponses. Exemple: « Comment faites-vous pour évaluer vos campagnes de publicité, et vous servez-vous régulièrement d'une agence? » A quoi l'interlocuteur peut répondre: « Nous nous servons de tel ou tel système pour évaluer nos campagnes de publicité. » Il a choisi de répondre à une seule question. Pourquoi lui avez-vous donné le choix? « Est-ce que vous croyez que le *Bottin vert* pourrait vous être utile l'an prochain? Comment faites-vous pour évaluer la rentabilité des inscriptions? » Deux questions.

3. Les types de questions

Les questions d'information générale, les questions d'opinion, les questions-réponses.

Les questions d'information générale

Les questions d'information générale ouvrent la voie et donnent confiance. Si je me présente en demandant en guise d'introduction: « Quel est votre revenu annuel? », la personne pensera que je travaille pour l'impôt. Commencer par des questions plus générales:

— Voilà un beau fauteuil, madame. Il est tout en cuir. Ça fait joli avec le bois de rose. Vous avez une grande maison?

La personne peut répondre:

— Non, nous habitons un « bachelor ».

J'ai déjà appris quelque chose sur la façon de vivre de cette personne, à l'aide d'une question à laquelle elle pouvait répondre en toute confiance.

— Une maison moderne bien éclairée?

— Non, j'habite une vieille maison canadienne. Le deuxième étage, le vivoir me servant de chambre à coucher.

Là encore, j'ai appris quelque chose. J'ai découvert toutes sortes d'indices ... Je connais la façon de vivre de la personne. En plus, je lui ai donné la chance de parler. Je peux commencer à écouter.

— J'aime beaucoup cette vieille maison à cause des arbres ... et la rivière qui n'est pas loin ... la nature ... le silence ...

Les questionnaires commencent toujours aussi par des questions sans conséquences. Votre nom, votre adresse. Progressivement, on creuse. Et on en arrive à des questions plus profondes.

Les questions d'opinion

Lorsque les questions d'information générale sont notées (il est inutile de se servir du papier et du crayon), on peut poser des questions plus personnelles.

— Vous faites quoi dans la vie?

— Secrétaire dans un bureau d'avocat, depuis vingt ans; c'est très agréable.

— Et vous habitez cette vieille maison depuis vingt ans?

— Non, depuis trois mois seulement; j'aimerais la meubler, mais ça coûte très cher.

— Est-ce que vous partagez l'avis des décorateurs qui prétendent que lorsque vous achetez des meubles en bois, ils doivent avoir l'air du bois et que lorsque vous achetez des meubles en plastique, ils doivent avoir l'air du plastique?

Cette dernière question fait appel à l'opinion du client. Elle appelle sa réaction. Cependant il ne faut pas demander aux gens leurs opinions politiques. Parce que c'est les attaquer au plus profond d'eux-mêmes, réveiller en eux des conflits. Et pourtant c'est un peu ce qu'on fait quand on demande à la personne son opinion. Une façon habile de le faire, c'est de demander l'avis de la personne au sujet de l'opinion d'une troisième personne: « Que pensez-vous des décorateurs qui . . . » J'aurais pu parler d'un journaliste, d'une enquête Gallup . . . J'évite de donner mon opinion. Pour ne pas risquer d'être en désaccord. Je fuis les personnes qui ne sont pas d'accord avec moi. Mon interlocuteur peut ne pas être d'accord avec le décorateur ou le journaliste que je cite, mais il n'est pas en désaccord avec moi. La clef des relations humaines, c'est de ne pas s'impliquer. Dans une réception, vous pouvez demander aux gens qui vous écoutent « ce qu'ils pensent de ceux qui prônent l'indépendance du Québec », parce qu'il faut parler politique assez souvent. Ce n'est pas moi qui prône l'indépendance du Québec. Je ne risque pas d'être confronté avec celui qui dira:

— Je suis contre ceux qui soutiennent l'idée de l'indépendance, ce sont des imbéciles . . .

— Moi, monsieur, je fais partie du comité de direction du Parti québécois . . .

— Eh bien! Ce ne sont pas tous des imbéciles. Il y en a de moins imbéciles que d'autres.

Vous avez de la difficulté à reculer parce que vous vous êtes inutilement impliqué.

Les questions-réponses

Les questions-réponses sont en fait des questions-problèmes qui demandent des réponses. « Pardon, madame, vous avez quel budget pour meubler votre "bachelor"? » Une question-problème qui exige une réponse parce que la personne a un problème: elle n'a pas beaucoup d'argent. Elle en a, mais elle ne veut pas l'avouer. Ce sont des questions-barrières. Des questions insurmontables. « J'aimerais le faire, mais je n'ai pas l'argent. » La question-réponse pénètre profondément chez l'autre. Elle va chercher les raisons cachées. La personne a peur. Elle est obligée de se confier: « Mon rêve est impossible à réaliser, je ne pourrai pas aller aussi loin. » Les circonstances dans lesquelles on place les gens, les obligent à se révéler, à montrer leur vraie nature.

Le poney caché

Il y avait deux enfants: un pessimiste et un optimiste. Le pessimiste avait été placé dans une chambre magnifique remplie de jouets extraordinaires: cheval de bois, toupies, casse-têtes. L'optimiste avait été placé dans une grange remplie de fumier. Après une semaine, on est revenu les voir, pensant que le pessimiste serait devenu optimiste et que l'optimiste serait devenu moins optimiste. Non, le pessimiste était au centre de sa chambre. Il n'avait pas déplacé un seul jouet. « J'ai trop peur de les casser. Vous allez le dire à mes parents. Comme ils n'ont pas beaucoup d'argent, je risque de leur créer des ennuis graves. Et je ne sais pas jouer avec ces jouets-là. Les casse-têtes sont trop difficiles pour moi. » Dans la grange, on a dû chercher l'optimiste. Il était au fond en train de creuser dans le fumier. « Il doit y avoir un poney qui se cache quelque part, avec un tas de fumier comme celui-là! » La chambre et la grange constituaient en quelque sorte pour ces enfants des questions-réponses et les amenaient à réagir selon leur tempérament.

Creuser la chose

Je travaillais pour une entreprise qui vend des appareils électroniques et j'ai vu là un vendeur vendre une enregistreuse. Sur le comptoir, étalés de gauche à droite, une série de magnétophones. Les plus coûteux à un bout et les moins chers à l'autre. Le client est jeune. Le vendeur montre le premier magnétophone:

— Vous avez ici un magnétophone vous permettant

d'enregistrer à distance et qui, en plus, peut se tenir facilement dans la main . . .

Le client demande le prix. Et le vendeur, au lieu de répondre, pose des questions. Des questions générales.

— Vous allez faire quoi avec ce magnétophone?

— Je suis étudiant dans un CEGEP et je désirerais enregistrer certains cours.

— Bonne idée. Vous allez écouter plus attentivement et vous pourrez, par la suite, réécouter; le micro du magnétophone que je vous ai montré est relié par un fil et doit être tenu le plus près possible de la voix de celui qui parle, c'est un inconvénient majeur. Le second magnétophone fonctionne avec un micro intégré. La salle des cours est-elle dans un vieil édifice ou dans un édifice moderne?

Le client répond qu'il s'agit d'une bâtisse de plus de cent ans.

— Alors les prises de courant sont rares. Je vais vous montrer un troisième magnétophone qui, lui, fonctionne à piles. Alors, vous n'aurez pas à courir les prises de courant. Les piles sont petites, peu coûteuses et chacune vous permet d'enregistrer durant une dizaine d'heures. La majorité des jeunes (question d'opinion) aime écouter de la musique. Est-ce qu'il vous arrive d'emprunter les disques de vos amis? Vous pourrez le faire avec cet appareil. Mais si vous voulez un enregistrement de meilleure qualité, je vous conseille de regarder ce quatrième magnétophone. Micro à même, piles et, en plus, vous pourrez enregistrer directement du tourne-disques les disques de votre choix.

Le budget. (Question-problème, question-réponse.)

— Vous avez, étant étudiant, un budget limité.

— Combien coûte cet appareil?

— Cent-soixante-neuf dollars! Mais oubliez le prix . . . Est-ce l'appareil que vous souhaitez posséder? Je pourrais vous aider. Escompte aux étudiants. Cent-trente-neuf dollars. Vous l'emportez ou vous passez le prendre?

— Je n'ai que soixante-quinze . . .

— Alors, vous faites un dépôt et dans une semaine ou deux, vous me versez les soixante dollars qui vous manquent. Vous ne l'aurez que dans deux semaines, mais vous aurez l'appareil qui vous convient parfaitement.

La série des questions que le vendeur a posées à son client a été pensée afin d'aider le client à découvrir son rêve. Mais vous pouvez faire de même avec celui qui se présente pour un emploi. Vous pouvez agir de même avec votre enfant: « J'aimerais faire telle ou telle chose. » « Mais oui. » Pourquoi dire non? « Mais as-tu pensé à tel problème? » On peut aller plus loin. Regarder un deuxième magnétophone. Creuser la chose.

4. Ecouter

Devenir un récepteur. Dans la communication humaine ou dans la relation vendeur-acheteur, il est important de savoir que les rôles doivent être remplis tour à tour. Tantôt je suis émetteur, tantôt récepteur. On l'oublie trop souvent.

Paul Rankin a fait une étude sur la façon de communiquer des cadres. Quatre-vingt pour cent des heures passées au travail le sont en communications verbales. Ces heures se divisent ainsi: neuf pour cent sont passées à écrire. Seize, à lire. Trente, à parler. Quarante-cinq pour cent, à écouter. Pourtant l'art d'écouter ne s'enseigne nulle part. On met, dans nos maisons d'enseignement, l'emphase sur l'écriture. Sur la diction. Sur l'art de dire. Mais les gens ne savent pas écouter. C'est un travail difficile. Nous ne sommes pas entraînés à le faire. Notre besoin de nous sentir importants nous force à parler. Ecouter fait que les gens veulent par la suite nous entendre. Ecouter vraiment. Ne pas confondre entendre et écouter. Certains gardent silence et n'écoutent pas. Duplessis disait. « Toé, tais-toé. » Ceux qui se taisent n'écoutent pas toujours.

Vous parlez avec quelqu'un qui, par hasard, est dérangé: un enfant s'approche et lui pose une question. La personne répond à l'enfant et lorsqu'elle revient, elle vous dit: « Je parlais de quoi déjà? » Etes-vous capable de répéter exactement ce que cette personne vous disait?

Quand je parle avec quelqu'un qui est dérangé par le téléphone ou par quoi que ce soit, je me fais un devoir de me rappeler exactement ses derniers mots. La grande difficulté vient du fait que l'intelligence peut jouer avec deux mille mots en une minute mais que la bouche ne peut en prononcer que cent vingt-cinq. Notre intelligence peut toujours être de mille huit cent soixante-quinze mots en avance sur celui qui parle. Faire un effort pour se concentrer sur ce qui est dit. Uniquement.

Ecouter sélectivement

Entendre ce qui se dit mais écouter ce qui nous frappe, ce qui nous intéresse. Savoir évaluer à mesure que la personne vous parle. Savoir déterminer le bien-fondé de ce qui est dit. Se dire souvent: « Est-ce que je comprends bien? Mon interlocuteur me donne-t-il les preuves de ce qu'il avance? Son information est-elle plausible? Est-ce que je pourrais me servir de cela? »

Surveiller attentivement ce que le client tente de vous dire par sa communication non verbale. S'entraîner à choisir les éléments importants d'une conversation.

Mon nom m'intéressait

J'entendais dans le hall de l'hôtel Reine-Elisabeth un messager crier le nom d'une personne qui devait être à l'hôtel. Je n'ai pas retenu le nom. Je l'avais entendu. Je ne l'avais pas écouté. Je n'ai pas écouté parce que ce nom n'était pas le mien. Un jour, à l'aéroport de Dorval, j'ai entendu au haut-parleur: « Monsieur Jean-Marc Chaput est prié de se rendre au comptoir ... » Il y avait là autant de bruit qu'au Reine-Elisabeth. J'ai vite compris. Mon nom m'intéressait. J'ai écouté sélectivement.

Il faut apprendre à écouter, se mettre psychologiquement dans un état d'écoute. Résumer mentalement. Mettre de l'ordre.

Prévoir. Occuper les mille huit cent soixante-quinze mots qui trottent librement dans sa tête. Essayer d'anticiper ce que les autres vont dire.

Ecouter avec empathie

Dire le mot, faire le signe, le petit « oui » qui aide l'autre à continuer. Lui faire sentir que vous comprenez son problème. Faire l'exercice, avant de répondre à une personne, de résumer ce qu'elle a dit. Se rendre compte qu'on n'a pas tout retenu.

— Si je comprends bien, monsieur, vous êtes en train de me dire que vous souhaitez acheter quelque chose de blanc.

— Non. Pas blanc. Quelque chose de clair. Une couleur pastel. Du soleil.

— Le jaune, peut-être?

J'ai écouté et, pour mieux le faire, j'ai résumé. Ecouter avec ses oreilles, ses yeux, son attitude, ses gestes, ses sentiments.

A — L'auditeur apathique

Il n'a pas de sentiments. Les communications sont tellement nombreuses, de nos jours, qu'il se barricade. Trop d'expériences passées l'empêchent de recommencer. Ça ne vaut pas la peine. Il se souvient des réunions obligatoires auxquelles il a dû assister, les oeuvres de charité, les discours à n'en plus finir. « Je n'ai plus rien à apprendre. »

Je proposais à six vendeurs un cours de formation à la vente. Ces six vendeurs étaient la crème d'une équipe d'environ quarante. Les meilleurs. Pourtant, aucun des six ne voulait y passer ses temps libres, aucun des six ne voulait y passer son temps de travail. Saturation. « Qu'est-ce que ça donne? » « Ça passe par une oreille, ça sort par l'autre. » Voir avec un oeil neuf. Capter l'attention de son interlocuteur. Lui parler de lui. Lui demander s'il aimerait gagner mille, dix ou vingt mille de plus. Celui qui bâille, qui tousse, qui bougonne, qui s'endort, c'est celui-là que vous devez accrocher.

B — L'auditeur difficile

Il représente la sagesse. C'est un malin. Il écoute mais c'est toujours pareil. C'est toujours la même chose. « Ce n'est pas un expert. Qu'est-ce qu'il peut m'apprendre? C'est un inférieur. Avant de venir me parler à moi, gérant, à moi, président, à moi, professeur. » Donc, lui présenter du nouveau. Un angle différent. Un aspect auquel il n'avait pas pensé. Le surprendre. Avouer que vous n'y connaissez rien, que lui sait tout, qu'il a le droit de vous arrêter n'importe quand.

« Me . . . me . . . monsieur . . . »

Un ami vendeur d'assurances. « The great J.J. » Il bégayait. A sa première tentative de vente, il s'attaque à un comptable agréé, pensant que ce serait plus facile de vendre à un comptable.

— Vous . . . vous . . . vous . . . vous voyez monsieur . . .

Après dix minutes, ce comptable sophistiqué lui dit:

— Cher jeune homme, vous ne pourrez jamais vendre à un comptable, avec l'allure que vous avez . . .

— Vous . . . vous . . . avec raison. Co . . . com . . . comment feriez-vous?

Le sophistiqué, lui montra comment vendre à un comptable qui avait bien réussi. Après quinze minutes, J.J. sortit son contrat et dit au comptable: « Vous . . . vous . . . n'avez qu'à signer ici, me . . . me . . . monsieur. » Apprendre au sophistiqué à participer. Se faire son élève. « Me . . . me . . . monsieur, vous pouvez m'aider. »

C — L'auditeur hostile

Il sent une menace. Il est agressif. Il est du type émotif: « Don't confuse me with the facts. » Ne m'embrouillez pas avec toutes sortes de détails. Ne me présentez pas les faits, je sais que vous m'en voulez. Que vous voulez me briser. Que je ne sortirai pas grandi de mon entretien avec vous. Certaines situations sont menaçantes. D'autres ne sont pas amicales. On cache ses cartes. Dans les relations patrons-ouvriers, par exemple. Des atouts cachés qui nuisent à tout. L'ouvrier pense que le patron veut sa peau. Le patron pense que l'ouvrier veut sa peau. Renverser le client hostile, le tourner à l'envers. S'expliquer avec lui. Détruire son opposition. Le plus simplement possible. « Je vais vous poser des questions et, à l'aide de vos réponses, je vais tenter de vous bâtir un programme d'assurances. Si, dans une demi-heure, vous n'êtes pas convaincu de continuer à m'écouter, vous me le direz et on se quittera bons amis. »

D — L'auditeur méfiant

Le Chinois dit: « Quand un doigt pointe à la lune, l'imbécile regarde un doigt. » L'auditeur méfiant vérifie l'emploi que vous faites de la virgule, se perd dans les détails. Vous lui dites:

— Cent quatre-vingt-dix-huit dollars, vingt-deux cents.

— Est-ce que ce n'est pas dix-sept, plutôt?

Le Monsieur Sécurité qui veut savoir si c'est une boîte de carton ou une boîte de bois, sans se demander ce qu'elle contient, il faut lui donner les détails qu'il veut, l'aider à saisir l'ensemble. L'important, c'est qu'il sache que vous voulez l'aider.

E — L'auditeur comédien

C'est celui qui fait semblant d'écouter. Il dit oui quand il doit dire non, et non quand il doit dire oui. C'est le pire des écouteurs. L'auditeur à tangentes. Il fonctionne à mille huit cent soixante-quinze mots à la minute pendant que vous parlez. Vous lui dites: « Mon système vous aidera à tenir une comptabilité plus serrée et à remettre votre rapport ... » et comme vous dites « rapport », votre auditeur se met à penser au rapport qu'il n'a pas remis. Il ne vous écoute plus. Et en pensant au mot « rapport », il pense que ce soir il pourrait faire le sien. Non. Il doit sortir. Et vous, vous parlez toujours. Il doit rencontrer un client important. Et il pense qu'il devrait peut-être faire une réservation dans tel ou tel restaurant. Et sa femme lui avait de-

mandé de rapporter des épices de chez l'épicier. Et à ce moment, vous terminez votre exposé par: « Qu'est-ce que vous en pensez? » Il vous regarde et dit, l'air hébété: « Oui, oui ». Il devrait peut-être dire non. Il a fait semblant d'écouter. Il faut poser plus de questions à l'auditeur à tangentes. Il faut le faire participer comme tous les auditeurs distraits. Nous-mêmes, parfois . . .

Savoir se taire

Vous, l'émetteur, vous devez vous demander devant votre client si vous n'agissez pas quelquefois comme l'un ou l'autre de ces cinq auditeurs. Oubliez-vous d'écouter? Prenez-vous des tangentes? Corrigez-vous? Critiquez-vous?

Poser des questions et écouter. La communication ne doit jamais devenir un monologue. Il faut pouvoir passer de la position d'émetteur à celle de récepteur et faire en sorte que le client passe lui aussi d'émetteur à récepteur. Devenir des écouteurs attentifs. Savoir se taire.

Jugés avant d'être entendus

Dans une grande bijouterie de Montréal, je me présente avec ma femme, avec en main des perles que nous voulions voir monter. La personne au comptoir commença par nous montrer des perles. Des petites perles. Elle n'avait pas compris. Nous avons parlé d'autres choses. Nous nous sommes mis à regarder des chaînettes d'or. Ma femme portait au cou une chaîne de dix-huit carats. Et la serveuse continuait de nous montrer des chaînes de dix carats. Elle avait été critique, elle avait pris pour acquis que nous étions de petits acheteurs. Elle nous avait jugés avant de savoir. Nous n'avons pas acheté.

Capter l'attention

Un célèbre Américain a dit cette phrase importante: « Il insiste tellement pour dire ce qu'il veut dire qu'il oublie de dire ce que l'autre veut entendre. » C'est malheureusement ce que l'on fait trop souvent à l'occasion d'une vente. Et, en plus, vous devez réaliser que, sur huit heures de travail, le vendeur n'en passe qu'une et demie avec son client. Même pas vingt-cinq pour cent de son temps. Il ne doit pas perdre de temps. Il doit, le plus tôt possible, capter l'attention. Même si le client n'est pas devant lui.

Comment faire pour gagner un client? Comment faire pour qu'il nous écoute? Comment faire pour commencer? Il n'y a pas trente-six mille façons.

Parler des bénéfices pour lui. Je regarde assez souvent les petites annonces des journaux. Prenons-en une, au hasard:

Comptabilité: « Cherchons jeune fille intelligente, vingt-cinq ans environ, capable d'assumer les responsabilités suivantes: facturation, comptes à recevoir, coordination des services se rapportant à ces tâches, bilingue, pouvant taper à la machine à écrire, beaucoup d'initiative, sens inné des affaires; salaire selon l'expérience. »

Je lis cette annonce, je me mets dans la peau d'une jeune fille et je me dis qu'il s'agit d'une compagnie qui a des problèmes. Mais cette compagnie n'a pas su me vendre son annonce. Elle ne m'a pas parlé de mes bénéfices éventuels: « salaire selon l'expérience », l'expression est vague, et il n'y a pas que le salaire... Que veut dire le mot « expérience »? Du gaspillage. Cette annonce ne m'a pas retenu. Prenons-en une autre:

« Si vous êtes une personne avec un désir ardent de réussir, la volonté de travailler fort et d'acquérir les connaissances qui sont à la base d'une carrière professionnelle, l'entregent et le désir de vous rendre utile (l'expérience n'est pas essentielle, nos agents viennent de tous les milieux, certains n'avaient jamais encore travaillé), nous pouvons vous offrir un poste dans une entreprise qui fait des pas de géant, une formation de premier choix avec salaire, un service par ordinateur, unique en son genre, une publicité inégalée à la télévision, à la radio, dans les journaux... »

Dans cette annonce, on m'a d'abord parlé de moi. On a capté mon attention. Je n'ai jamais rencontré quelqu'un à qui vous offrez de gagner cent mille dollars et qui réponde: « Je suis très occupé ces temps-ci, je n'ai pas grand temps, venez me revoir plus tard... » Voulez-vous gagner cent mille dollars? Et tout le monde marche. On oublie ce que les gens veulent. On insiste tellement sur ce qu'on veut dire que l'on oublie ce que le client veut entendre. Il faut empêcher le client de penser à autre chose.

J'ai découpé des petites annonces dans la revue *Fortune*. Des annonces qui ne disent rien. Exemple: « Les banquiers qui n'obtiennent jamais de diplôme ... » « Dans Air-France, il y a plus que la rencontre avec le ciel ... » « Un système de sécurité commence avec une clef ... » peut-être! Je n'ai pas été pris. Je pense à une annonce de matelas. Une fille se promène dans une rue, les mains dans les poches, l'air satisfait. L'annonce dit: « Si nos clients sont satisfaits, pensez à nos vendeurs ... » Qui ne veut pas être satisfait?

Larry Wilson, qui a rédigé un excellent cours de vente, dit que parmi les choses qui attirent les gens, il y a d'abord le mystère.

1. Le mystère

Les hommes aiment être surpris par des choses qui appartiennent à la magie. Un vendeur du Protectographe, cet appareil qui

perfore les chèques au montant inscrit afin que personne n'en puisse changer le montant, commençait toujours sa démonstration en demandant une enveloppe. Qui n'a pas une enveloppe à la portée de la main? Il demandait à son client de lui faire un chèque au montant de mille dollars et mettait le chèque dans l'enveloppe qu'il avait soin de sceller. A l'aide d'une petite tige de métal, par le coin non collé de l'enveloppe, il réussissait à.

pincer le chèque, à le rouler sur lui-même et à le sortir de l'enveloppe sans l'ouvrir. Avec une plume, il ajoutait un zéro et un dix et remettait le chèque dans l'enveloppe: « Ça monsieur, c'est ce qui peut vous arriver demain! »

Aimeriez-vous connaître l'au-delà? J'ai un vieil oncle qui vendait de l'assurance-vie et qui commençait par mettre sur la table un petit cercueil et deux candélabres.

2. Le meilleur service

Une compagnie fournissait de l'oxygène pour les hôpitaux. La différence du prix entre les différents compétiteurs était minime. Alors cette compagnie s'était dit que plutôt que de vendre de l'oxygène, elle allait assurer à son client un meilleur service. La distance entre la compagnie et l'hôpital était d'environ six milles. Distance que le camion parcourait en une heure et demie aux heures de pointe. Par sécurité, l'hôpital se devait de garder un stock d'environ douze bonbonnes. Et cette compagnie promettait de livrer en une heure les bonbonnes additionnelles. Ce qui était nouveau, ce n'était plus la qualité du produit, mais celui du service qu'elle pouvait annoncer comme capable de répondre aux urgences.

3. Les compliments

Ce que les Américains appellent du « small talk ». Parler de choses et d'autres: votre dernière partie de golf ou l'état de la pêche. Il n'y a pas de règles fixes. Ce qui est important, c'est que le compliment soit vrai. Je peux dire à quelqu'un qu'il est beau, mais je dois être certain qu'il se croit beau. Mon grand-père avait reçu à la maison un médecin qui ne le connaissait pas et qui lui avait dit: « Monsieur Chaput, vous êtes fatigué parce que vous avez travaillé fort dans votre vie. » Mon grand-père de lui dire: « Je n'ai jamais travaillé de ma vie. » Et c'était, jusqu'à un certain point, vrai. Mon grand-père avait toujours accompli des tâches qui ne lui demandaient aucun effort véritable. Le compliment du médecin passa à côté. Revenu à la santé, mon grand-père rencontra le même médecin qui voulait savoir si les pilules prescrites lui avaient fait du bien. « Oui, elles ont aidé plusieurs personnes. Vous-même, le pharmacien, et moi qui ne les ai pas prises. » Un jeune vendeur rencontre un administrateur haut placé d'une entreprise et remarque sur les murs plusieurs photos de bateaux à voiles. Alors, il décide de parler de son petit bateau, de la navigation sur le lac Saint-Louis et constate que son interlocuteur est de plus en plus mal à l'aise. « Ça me donne le mal de mer . . . je ne suis pas dans mon bureau . . . » Un acheteur professionnel que j'ai rencontré aime beaucoup le golf. Comme j'ai eu le malheur de l'aborder en parlant du golf, il en a profité pour me parler de sa dernière partie et du style de ses trois partenaires et des difficultés du parcours et de ce qui se passa au premier trou et au deuxième. Il parla ainsi pendant trois quarts d'heure, jusqu'au dix-huitième trou, puis s'excusa de ne plus avoir le temps de m'écouter et me demanda de revenir la semaine prochaine. Faire attention aux compliments, malgré ce qu'en dit Dale Carnegie.

4. Les idées neuves

J'ai pensé à vous l'autre jour. Dans une entreprise qui vend

des instruments de musique, nous avons discuté d'un instrument qui ne rencontre pas les exigences du marché et qui traîne dans les entrepôts. Un vendeur raconte qu'il a rencontré un client qui a eu l'idée très simple de peindre les instruments d'une autre couleur. C'est une idée neuve. Il a capté notre attention. Il a résolu notre problème de surplus d'inventaire. Une nouvelle façon de vendre. Une publicité nouvelle. Entrer chez un client avec une idée neuve.

5. Les noms importants

Partez avec l'idée de donner comme référence un nom connu et aimé: « Telle vedette porte tel vêtement. » Pensez au désir que les gens ont de vouloir être comme l'autre, d'être un grand, d'être celui que les gens remarquent. J'ai été m'acheter un habit, rue Saint-Hubert. Le tailleur italien avait un bon principe de vente: me laisser fouiller dans ses tissus. Je mets la main sur une flanelle grise qui me semble intéressante, et le vendeur d'ajouter: « Ah, c'est bien, le Premier ministre monsieur Johnson vient justement de commander un costume fait avec ce tissu . . . » Ces arguments m'ont frappé. D'abord, je m'habille au même endroit que le Premier ministre et, ensuite, nous portons le même tissu.

6. La gratification

C'est un phénomène complexe: nous sommes portés à aider quelqu'un qui nous a donné une chance de l'aider. Un vendeur tentait de faire accepter à un grossiste l'idée d'utiliser un certain ruban gommé pour emballer ses produits. L'acheteur de la compagnie lui fit comprendre qu'ils utilisaient un ruban contre lequel aucune plainte n'avait été formulée et qu'ils n'avaient pas de raison de changer. Le vendeur comprit que c'était la fin. Mais, en partant, il demanda à l'acheteur s'il ne pouvait pas l'aider . . . « J'ai remarqué à l'entrée, en vitrine, une des très belles poupées que vous fabriquez et j'aimerais en apporter une à ma fille. » L'acheteur signale un numéro et constate que les employés sont à dîner. Il décide d'aller lui-même à l'expédition.

Le choix de la poupée est vite fait et, au moment de faire le colis, l'expéditeur revient de son dîner. Alors le vendeur en profite pour lui demander s'il est satisfait du ruban gommé qu'il utilise. L'expéditeur n'est pas satisfait. Il a hâte de changer. C'est un papier qui se décolle. L'acheteur n'était pas au courant des difficultés de son expéditeur. Le vendeur est sorti de son entrevue avec une magnifique commande. La vente était faite à partir du moment où le vendeur avait eu la bonne idée de demander à son client une poupée. Combien de fois dans nos relations humaines sommes-nous prêts à demander un service? A demander à quelqu'un de nous aider? J'ai rencontré un fabricant de chaises de jardin d'aluminium à qui je n'osais pas demander de m'en vendre. Et pourtant, ça lui aurait fait tellement plaisir de le faire, parce que c'était une preuve de la confiance que je pouvais manifester en son produit. « Monsieur, vous avez une poupée magnifique! »

Nous avons toute une série de fournisseurs et de clients qui ne sont jamais les mêmes. Pourquoi? Monsieur Willy Farah, propriétaire de Farah Manufacturing, au Texas, fabrique des pantalons pour hommes. Son entreprise est strictement américaine. La politique générale de sa compagnie c'est « Buy American ». Il est défendu d'acheter quoi que ce soit à l'extérieur du pays. Il achète de ses propres clients; le plus possible. C'est une des façons de demander à quelqu'un de vous rendre service. J'ai besoin de vous. « J'ai un nouveau produit à vendre et je ne sais pas comment faire. Dites-moi franchement ce que vous en pensez. » C'est cela de la gratification. Aider quelqu'un à faire autre chose pour soi.

7. Avoir de l'imagination

Se présenter chez un client en disant:

— J'ai en main un chèque de quatre-vingt-dix-neuf mille dollars fait à votre nom et j'aimerais bien vous le remettre un jour. Il vous attend.

— Qu'est-ce que je dois faire?

— Vous devez déposer x dollars par mois.

Combien d'autres exemples pourrait-on donner de gens qui voulaient vendre leur idée, aller plus loin que leur idée. Et il faut appliquer ce principe dans toute sa vie. Comment faire pour intéresser son patron à son idée? « Patron, j'ai trouvé une méthode pour économiser cent mille dollars par année. » Un vendeur avait l'intention de parler de flexibilité et, pour le faire, il tenait dans sa main un élastique. Et quand son élastique était très tendu, il ajoutait: « Monsieur, notre service peut aller jusque-là et plus loin encore . . . » Un autre exemple: un vendeur de pièces d'automobiles entasse dans son magasin une montagne de systèmes d'embrayage et place au-dessus une pancarte: « Centre d'embrayage ». Ses ventes ont augmenté de vingt-cinq pour cent. Un exemple.

8. Donner des références

Se faire recommander par un ami. Un vendeur que je connais se promène avec un petit magnétophone et, au lieu de demander des lettres de recommandation, il enregistre quelques mots de son client. « Je viens de commander tel ou tel objet qui me semble solide et économique, et je vous le recommande. A bientôt. Paul. » Le vendeur faisait entendre la voix de celui qui le recommandait. D'un ami à un ami. Ce qui rendait la référence encore plus forte. Les Caisses d'entraide économique ont, au Québec, développé un principe de vente astucieux. Dès que le souscripteur a remis son chèque, on lui demande trois noms de personnes à qui il recommande le mouvement. Si cette personne refuse, on lui remet son chèque, parce que si elle n'est pas convaincue de pouvoir recommander le mouvement, c'est qu'elle n'a pas encore mis toute sa confiance en lui et que le mouvement n'a pas besoin d'elle. Le principe de la référence pourrait être utilisée à l'intérieur de toute entreprise.

9. Des déclarations surprenantes

Surprendre est un principe de la publicité.

Un vendeur, dans un bureau, présente sa carte et demande à

rencontrer le patron qui a, au bout d'une longue rangée de bureaux de commis, un bureau séparé par une cloison de verre. La réceptionniste se rend derrière le cloison, montre la carte du vendeur qui voit le patron faire un signe négatif de la tête et déchirer la carte. La réceptionniste revient expliquer que le patron n'a pas le temps de le recevoir. Le vendeur dit qu'il comprend très bien et demande s'il peut ravoir sa carte. La jeune fille sachant très bien que celle-ci est dans le panier fait semblant d'aller la demander au patron. Le patron montre à la jeune fille le panier à papiers et lève les bras en l'air. La jeune fille revient et le vendeur lui remet une deuxième carte lui demandant d'aller dire au patron « qu'aujourd'hui, on les vend au prix exceptionnel de deux pour vingt-cinq sous. » Le patron, surpris, demande à rencontrer le vendeur. Un autre vendeur, qui vendait des inscriptions à un guide touristique, se faisait souvent répondre: « Notre entreprise a déjà trop de publicité », et le vendeur rétorquait: « Mais moi, ce que je vends, c'est de l'assurance. » Voilà une déclaration surprenante. Ne jamais commencer à parler de son produit avant d'être certain que le client est avide d'en entendre parler. D'abord, piquer son attention. Etre un peu acteur. Le rôle que vous jouez, c'est vous-même. « J'ai quelque chose d'amusant, d'extraordinaire à vous présenter. » Le client a déjà une idée de celui que vous êtes. Il pense que vous n'êtes

pas là pour l'aider, mais pour lui vendre. Vous devez le convaincre du contraire. Attirer son attention. C'est capital. Dès le départ, intéresser le client. Lui montrer les bénéfices et les avantages. « I love me best. » Vous devez me parler de choses qui m'intéressent.

Les propositions

Présenter au client une solution qui lui permet de réaliser un rêve. Se rappeler le cycle de la motivation: un besoin, un rêve, un problème, une solution, un changement, etc. Il est très intéressant de revenir au rêve. De ne pas le perdre de vue. Robert Sylvestre, dans son livre *Les dynamismes de la vente,* répète qu'on ne vend pas de la marchandise mais des idées. Je trouve toujours curieux que quelqu'un me dise qu'il n'est pas capable de vendre de l'intangible. On vend toujours de l'intangible.

Dans un magasin de vêtements pour hommes, on ne vend pas des vêtements, on vend de l'élégance, du prestige. On vend une idée. Dans un magasin de meubles, on vend du confort, de la beauté, du décor. Une automobile, c'est de la puissance, du luxe, du plaisir. De l'estime de soi. Un billet de voyage, c'est le charme du soleil et des plages du Sud, ce sont les vieilles villes de l'Europe, l'exotisme de l'Afrique ou de l'Asie. Un produit pharmaceutique, c'est du soulagement. La possibilité de se sentir mieux. Une maison, c'est un chez-soi, un « foyer », un bien-être.

Nous sommes tous des vendeurs

Un jour ou l'autre, nous avons dû convaincre, persuader, aider un parent ou un ami. Le convaincre d'une idée. A l'âge de trois heures, j'ai fait une vente à ma mère, me disait quelqu'un. Je l'ai convaincue de me changer de couche. Ce que je recherchais, c'était le confort de ma couche neuve.

On peut commencer par le service ou le produit. On peut commencer aussi par la solution. Celui qui achète une mèche pour percer des trous, son rêve, c'est quoi? C'est de réparer quelque chose, se servir à nouveau d'une table brisée. « L'outil va m'aider à me débrouiller. » Le rêve, c'est de revoir cette vieille table dans son décor. Je dois très bien expliquer à celui qui veut acheter une perceuse qu'il a devant lui un moteur capable de percer du métal, que l'outil est durable et garanti, que je lui fournirai les mèches adéquates et qu'il obtiendra des trous parfaits sans effilochures. Je viens de proposer quelque chose: une table remise à neuf. On devrait toujours faire nos propositions de cette façon-là. Commencer par une présentation, mais ne pas s'arrêter là. Utiliser la méthode directive. Montrer au client comment le tout se tient. Comment l'outil répond à son rêve. Bien identifier le rêve. Le découvrir, l'intensifier. Montrer qu'il peut être réalisé à l'aide de l'outil que je lui offre. La majeure partie des spécialistes de la vente, des professionnels des relations humaines ne travaillent plus selon la loi de la moyenne qui consiste à rencontrer trente-deux clients pour être certain de réussir trois ventes. Un professionnel rencontre quatre clients pour réussir trois ventes. Il commence par se demander de quoi l'autre est fait, qui l'habite. Et c'est après qu'il fait sa proposition. Exactement ce que l'autre cherche. Dans une vente parfaite, la proposition est axée sur le rêve. Celui qui achète un fauteuil achète du confort. « Restez-vous assis longtemps? Ce que vous achetez, monsieur, c'est pour deux cents dollars de confort. »

Une Peugeot . . .

Je me souviens de l'achat d'une Peugeot. Je n'en veux pas à la compagnie Peugeot. Mais je me souviendrai toujours du vendeur qui me recevait dans la salle de montre.

— Vous avez ici un véhicule extraordinaire, freins à disques, arbre à cames en tête, etc.

Je n'avais pas eu le temps de lui expliquer que je ne connaissais rien en mécanique. La Pontiac que j'avais n'avait peut-être pas de freins à disques, mais ses freins ont toujours bien fonctionné.

— Vous avez aussi une suspension indépendante sur les quatre roues . . .

La Pontiac que j'avais avait-elle une suspension indépendante? Je ne connais rien là-dedans.

— Pneus Michelin ceinturés d'acier.

Et quand j'ai pu parler, je lui ai demandé à quoi ça servait des freins à disques.

— Ce sont les freins que l'on retrouve sur les avions, des freins qui utilisent la chaleur dégagée, vous allez vous arrêter beaucoup plus rapidement.

Et pendant qu'il parlait, je pensais à cette fois où les freins de ma voiture précédente m'avaient lâché.

— Et la suspension indépendante?

— C'est ce qui vous donne une plus grande stabilité sur la route.

J'avais donc quelque chose de plus intéressant à conduire. Plus de sécurité, plus de tenue de route. Mais le vendeur avait, dans son exposé, oublié de résoudre mon problème de confort, de préciser que je pourrais faire de grands voyages sans arriver exténué.

Un outil d'administration

J'ai vendu pendant longtemps des services mécanographiques pour un centre de traitement des données. Je vendais, entre autres, des façons de réunir toutes les données et de calculer les payes de différents employés. Un travail qui peut se faire rapidement ou avec l'aide de plusieurs employés qui ne font que cela pendant plusieurs jours. Le client devant l'offre que je lui faisais avait tendance à penser que son rêve était réalisé. Son besoin était satisfait. Mais je ne vendais pas un « système de payes ». Je vendais un outil d'administration, une analyse de la main-d'oeuvre: combien de pièces étaient faites à l'heure? Combien de milles parcourus par les camions? Je vendais un rapport sur la productivité et, gratuitement rattaché à cela, un service de la paye.

Il faut toujours expliquer au client les choses simplement, de telle sorte qu'il puisse clairement se représenter ce qu'il va avoir. Je me souviens de quelqu'un qui essayait de vendre à son patron, à l'Office national du film, un système qu'il décrivait comme étant de « l'organisation opérationnelle ». De quoi faire peur à n'importe qui. « Don't rock the boat », disent les Américains. Ne secouez pas le bateau. Ce que le patron voulait, c'était une plume à son chapeau, quelque chose qui ferait que les choses iraient mieux. Quand je vends une tondeuse, je vends une pelouse parfaite. J'explique ma tondeuse et je vérifie le rêve de l'acheteur. J'utilise des mots simples. Je dois m'assurer que l'autre comprend.

Le travail du vilebrequin

Je travaillais pour une compagnie qui vend des pièces d'automobiles. On me parla de mécanique en français. Je me pensais sur la planète Mars. « Votre arbre à came en tête accroche la bielle et ralentit le travail du vilebrequin. » Cet homme parlait-il d'un moteur? Pensez à ce réparateur de télévision qui explique à son client ce qui s'est passé: « En brûlant votre lampe K.7, celle-ci a créé un court-circuit qui a affaibli le générateur 12-6 ... mais votre système de sécurité D.13, etc., etc. » Pensez à ce vieux vendeur qui disait toujours: « Utilisez des chiffres qui parlent. » Utilisez des mots-images. Lorsque je donne des conférences, je me moque souvent de ceux qui parlent si bien qu'ils oublient de dire aux autres ce qu'ils veulent entendre.

Le style des phrases aussi est important. Ce n'est pas tout de dire que l'on travaille pour la plus grosse compagnie du Canada. Il faut mentionner les avantages de cette compagnie. Ce qu'elle donne comme garantie, comme expérience, comme service. Il faut rendre la chose évidente. Le vendeur est le mieux placé pour résoudre le problème et réaliser le rêve. Il a le droit de parler de son expérience, de son équipe, de sa compagnie. Si vous faites de l'entretien d'automobiles, vous pouvez parler de votre atelier de mécanique: « Nos quatre mécaniciens représentent cent années d'expérience. » « Notre compagnie vaut par le réservoir humain qui s'y trouve. » Créer un climat de confiance, éviter l'emphase, utiliser le dialogue. Une vente ou un achat, c'est un peu une pièce de théâtre: l'histoire de quelqu'un qui tente d'organiser son avenir avec votre aide. Une décision menant à une fin sera prise, la conclusion sera heureuse. Il ne faut pas avoir peur de citer un autre client. Un vendeur de crachoirs me disait n'avoir jamais vendu un crachoir sans l'avoir essayé. Il faut donner au client les preuves qui enlèvent ses doutes.

1. La démonstration

Le premier type de preuves s'obtient par la démonstration. Faire voir. On ajoute: « Je l'ai vu, de mes yeux vu. » On doute de ce que l'on entend. On ne doute pas de ce que l'on a vu. « Vous voyez ce que je veux dire? » Faire appel à tous les sens.

J'ai déjà préparé, avec des vendeurs, la vente d'un produit pour enrayer la mauvaise haleine. La force de la démonstration, c'était non seulement d'en parler mais aussi de faire goûter le client. Yvon Deschamps, lorsqu'il parle du câble de télévision et de ses avantages, dit que, grâce au câble, vous n'entendez pas seulement parler de la guerre mais qu'on vous la fait « voir ». La télévision atteindra son summum lorsque durant une émission on pourra se passer du son. Et comprendre. Les nouvelles de onze heures sont peut-être de la radio. Mon ami Bob se servait d'une feuille de papier. Pas d'une petite feuille mais d'une grande feuille, de huit pouces et demi sur quatorze, et d'une grosse plume. Parce qu'on parlait de gros chiffres. Il utilisait des photos. Le catalogue est un instrument qui fait voir. Qui fait participer. Pourquoi les cadres dans les entreprises ne se servent-ils pas plus souvent de tableaux? De grandes feuilles avec un crayon gras? Représenter graphiquement. Faire attention à certains dangers. Vérifier si le client aime prendre des risques et participer. Commencer soi-même par « goûter ».

A — Participer

Une compagnie aux Etats-Unis fabriquait des couteaux pour trancher le papier. Ces couteaux puissants permettaient de trancher des rames complètes de papier. Comme ils étaient efficaces mais dangereux, on installa un oeil électronique qui empêchait le couteau de descendre lorsqu'un doigt se trouvait sous la lame. La compagnie fit fabriquer des démonstrateurs, des modèles réduits qui devaient servir à ses vendeurs. Après quelque temps, on demanda aux vendeurs de dire si les démonstrateurs étaient utiles. Ils ne s'en servaient pas. Le technicien qui avait mis au point l'oeil électronique se rendit avec un vendeur afin d'assister à une démonstration. Le vendeur coupa toute une rame de papier et, par la suite, demanda au client de glisser la main sous le couteau, lui jurant qu'il pouvait le faire sans danger. Invariablement, le client refusait. Il faut d'abord participer soi-même. Il fallait que le vendeur et le technicien glissent la main sous le couteau.

B — Procéder lentement

En plus de participer, le démonstrateur doit agir lentement. Celui qui vend des calculatrices ne doit pas gagner contre son client un concours de vitesse. « Douze par douze, divisé par trois, multiplié par huit. » Donner le temps au client de voir sur quel bouton il doit appuyer.

C — Etre préparé

Certains vendeurs se présentent avec de très beaux catalogues et passent le reste de l'entrevue à chercher. Ils ne savent pas où les choses se trouvent. « Pourtant, je l'ai vu là, hier soir. » Apprenez votre catalogue par coeur. Pensez à cet individu qui savait par coeur toutes les annonces du *Time*. Parce qu'il était vendeur d'annonces au *Time*. On doit connaître son outil. On doit avoir avec soi tous les câbles nécessaires. Un monsieur vendait une colle extraordinaire. Comme démonstration, on lui conseillait de coller un tissu sur le bureau du client. Il n'avait pas remarqué que le bureau était fait de contre-plaqué. Quand il se mit à tirer sur le tissu, il arracha le dessus du bureau avec le tissu. C'était une très bonne colle, mais une très mauvaise vente. Vous devez avoir déjà fait l'expérience. Servez-vous aussi d'un matériel en bon état, d'un crayon bien aiguisé, d'un papier propre. Votre catalogue doit être neuf.

2. Le témoignage

Utilisez le principe qui consiste à amener à la barre un bon témoin. Ralph D. Myrick donnait un cours de vente qui s'intitulait: *Preparing a Case for Court*. Préparer une plaidoirie pour le tribunal. Amener des témoins impartiaux. Un autre client, peut-être. Quelqu'un qui n'a pas intérêt à mentir.

— Je crois que vous connaissez monsieur Tremblay?

— Certainement, Tremblay, c'est un de mes amis.

— Monsieur Tremblay, il y a deux semaines . . .

Je renforce ma proposition par un témoignage. Continuellement, on cite les gens. Dans le livre que vous lisez, je cite des
gens. Myrick par exemple. Combien de fois, dans vos dernières
ventes, avez-vous cité des témoins? J'ai déjà vu un vendeur qui,
devant l'hésitation d'un client, demanda la permission de télé-
phoner. « Justement, monsieur Lamontagne, je suis avec monsieur
Tremblay . . . » La force du témoignage. Deux précautions à
prendre: demander la permission au témoin. Vous ne pouvez
l'assigner comme à la cour. Si vous avez fait une bonne vente,
aucun de vos clients ne pensera à refuser. La deuxième précau-
tion est encore plus importante: vous assurer avant de nommer
votre témoin qu'il est bien vu de votre client, qu'il est accepté.

— Vous connaissez monsieur Tremblay?

— Certainement, c'est un ami . . .

Se réserver une porte de sortie. Ne pas aller trop loin.

— Monsieur Tremblay a acheté une machine comme celle
que vous voulez me vendre? Ça prouve que la machine n'est pas
bonne. Il n'a pas de tête, il achète toutes sortes de camelotes!

Assurez-vous que votre client a confiance en votre témoin.
C'est capital. Les témoignages peuvent aussi être tirés d'articles
de journaux. Souligner à l'avance les lignes importantes. Ne pas
obliger le client à tout lire. L'aider un peu. Le témoin vous per-
mettra de reprendre les différents points de votre proposition.
De reprendre le rêve du client. De le faire dire par un témoin.
Un ami peut servir de témoin. C'est vrai aussi dans une famille.
Vous pouvez citer l'adolescent que votre fils connaît.

3. Utiliser des chiffres qui parlent

Dans la vente, c'est fort. Tout le monde respecte les chiffres. Ils sont précis. Un agent d'immeubles, George H. Gard-
ner, a vendu pour plus d'un million de dollars en un an. Il utilisait une formule mathématique. A tous ceux qui voulaient louer,
il faisait des calculs. « Si vous déboursez pour votre loyer cent
cinquante dollars par mois pendant douze mois, vous versez dix-
huit cents dollars par année. Pendant vingt ans, trente-six mille

dollars. Prenez les deux cent-quarante reçus et allez demander à votre gérant de banque combien il est prêt à prêter. Vous serez déçu. Ça ne vaut rien. Faites le même calcul en mettant cent cinquante dollars par mois sur une propriété. Combien pourrez-vous emprunter à partir de vos titres? » Mathématique implacable. Elle permet de voir plus clair. Au lieu de dire que quelque chose coûte cinquante dollars, je puis dire que ça coûte un dollar par semaine. Ou je puis dire que ça coûte à peine sept sous par jour: un chiffre minuscule par rapport à un grand nombre d'avantages. Je peux aussi démontrer l'inverse. A celui qui achète et qui vend des cigarettes, je puis très bien parler du retour sur le capital investi et lui montrer que le retour dépasse au-delà de cinquante pour cent par année. Parce que l'investissement est nul. Je me suis servi de pourcentages.

Des chiffres qui parlent. Présenter sous un angle différent des données afin de mieux faire voir. Faire la comparaison des valeurs-prix. Faire voir que le prix est bas. Le centre de traitement des données qui vend un système de paye peut présenter son service comme une économie de cinq cents dollars par mois ou comme une dépense de dix dollars par rapport. Dix dollars, ce n'est pas cher pour savoir combien vous coûte la main-d'oeuvre et toutes les opérations de votre entreprise. Bien faire le calcul avant de présenter la preuve mathématique. Ne pas calculer devant le client. Tout savoir par coeur. Démontrer lentement. Ne pas faire peur au client. Le faire participer. Poser des questions: « Ceci vous semble important, n'est-ce pas? Que pensez-vous de cette proposition? Qu'est-ce que vous pensez de ceci? Et dans le futur? » Présenter la solution est le coeur de votre vente. Le coeur de votre relation humaine. « Monsieur, je pense que j'ai quelque chose qui pourrait vous aider. » C'est pour cette raison que vous devez soigner votre proposition. Bien vous préparer. Vous mettre dans la peau de l'autre. « Si quelqu'un me présentait cela, qu'est-ce que je voudrais savoir? Qu'est-ce que je serais intéressé à savoir? » Larry Wilson a très bien montré la différence entre une proposition de vente vouée à l'échec et une proposition qui doit réussir.

L'histoire des deux sergents

— Alors, écoutez bien vous autres, c'est aujourd'hui qu'on vous présente le nouveau sifflet: le Missile Aero, sifflet modèle M.I., sifflet à l'usage général du personnel, fourni à tous les soldats. C'est le genre de sifflet constitué par un support métallique dont les bords taillés en biseau sont placés à une petite distance d'un vide annulaire ménagé entre eux et par une espèce de godet demi-sphérique dans lequel l'air insufflé par la bouche produit un son spécial: Brrrr . . . Le sifflet lui-même pèse environ une once. La chaîne attenante, que vous voyez ici, pèse à peu près une once aussi. On y remarque deux parties: d'abord un coin métallique disposé de façon à ménager un conduit oblique pour le passage de l'air et qui permet à celui-ci d'arriver au biseau. Ensuite, une petite plaque qui donne au jet d'air la forme circulaire. C'est en se brisant contre l'arrêt de ce biseau que la lame d'air entre en vibration et communique son mouvement à l'air contenu dans la partie antérieure de l'instrument. Eh, vous en arrière, placez-vous pour bien voir et ne rien manquer. On appelle respectivement ces parties: l'oreillette supérieure et l'oreillette inférieure. L'effet du roulement intermittent est produit par une bille légère, enfermée dans la partie antérieure du sifflet et, en ce qui nous concerne, la bille en question, c'est tout simplement un petit pois.

En ce qui nous concerne, c'est une façon comme une autre, et plutôt moins bonne qu'une autre, de proposer une solution. Trop de vendeurs ont recours à cette approche archi-technique. Une loi inflexible de la vente veut que les gens n'achètent pas nos produits et nos services, mais seulement ce qu'ils imaginent que ces produits ou ces services feront pour eux. Notre sergent aurait fait beaucoup mieux en disant, comme celui du régiment voisin:

— Ecoutez, les gars, ça c'est un sifflet. Quand vous soufflez dedans, Brrrrr . . . Brrrrr . . . ça fait beaucoup de bruit. Si jamais vous êtes pris dans une embuscade avec des balles qui vous sifflent autour de la tête, sortez ce petit bijou et soufflez dedans comme un déchaîné. On viendra vous sortir du trou. Et peut-être que vous vivrez assez vieux pour raconter à vos enfants ce que c'était que la Grande Guerre.

Voilà le genre d'explications que n'importe quel soldat va comprendre tout de suite. Et vous pouvez être sûr qu'il prendra grand soin de son petit bijou. Pas pour le sifflet lui-même, mais pour ce qu'il fera pour lui. Il faut proposer aux gens des solutions qui vont résoudre leurs problèmes et satisfaire leurs besoins. La « vente » a été faite par le deuxième sergent. Ses explications étaient plus courtes, plus simples et allaient directement au but. Il savait ce que c'était qu'une vraie vente.

J'espère
les objections

Les objections que peut apporter l'autre, le client, l'interlocuteur, ne sont pas une chose alarmante. Au contraire. C'est ce qui peut vous arriver de mieux durant une conversation ou une vente.

Il y a quelques années, je faisais affaire avec un client qui répondait par un silence absolu. Rien ne fonctionnait. C'était énervant pour moi. Pas une question, pas une objection. Le gars gars ne disait rien. « Hum ... hum ... hum ... » C'est tout. J'étais exaspéré.

Une objection, dans toute relation humaine, c'est ce qu'il y a de plus important. C'est un signe évident d'intérêt. Ça veut dire que votre interlocuteur commence à sentir que ça vaut la peine. Qu'il commence à se poser des questions.

1. Quelles sont les causes des objections?

Les causes qui font que l'on n'achète pas l'idée de l'autre. Qui font que l'on hésite. Quand on est soi-même impliqué, on constate que les raisons de s'objecter viennent très souvent de l'incompréhension. Je n'ai pas bien compris. Vous avez parlé trop vite. Vous avez sauté des points importants. Vous n'avez pas établi tous les liens. Vous avez oublié de relier vos arguments à mon rêve. Moi, je ne comprends pas les mots que vous avez utilisés. Je ne saisis pas ce que vous voulez dire. Ce n'est pas de cette façon que je suis habitué à voir les choses. Votre idée est révolutionnaire. Personne ne l'a essayée. Votre idée neuve brise mes habitudes. Elle réveille ma résistance au changement. Elle m'oblige à dire « pourquoi pas . . . » Elle m'oblige à vous faire confiance. A vous croire. « Pour moi ce gars-là est en train de me "passer un sapin" . . . "Les enfants sont en train de me "monter une pipe". » C'est peut-être injuste, mais j'ai encore des hésitations. Je vous pose une objection qui n'a rien à voir avec vous qui me parlez. C'est une objection qui me regarde. Je n'ai pas d'argent à risquer, mais je ne veux pas vous le dire. Les raisins sont trop verts . . . C'est-à-dire que j'aimerais vous dire oui. Mais les autres? Les voisins? Ils me font peur . . . C'est à vous de découvrir les causes de mes objections. Mes objections ne doivent pas vous effrayer. Elles doivent vous stimuler, vous forcer à mieux me montrer où se situe mon rêve. J'espère que vous saurez provoquer mes objections, mais aussi m'aider à m'en débarrasser, m'aider à nettoyer la situation, à voir clair. Vous devez vous assurer que la situation est propre, que je comprends bien. Vous pouvez soulever à l'avance mes objections.

2. Celles qui n'en sont pas

Vous devez distinguer parmi mes objections celles qui n'en

sont pas. Mes objections-prétextes. Mes alibis. Je les donne parce que ça ne me tente pas. Je n'ai pas le goût de faire un effort. Je ne vois pas l'intérêt de ce que vous me proposez. « Excusez-moi, je suis un peu pressé . . . »

Un auteur américain, Albert Goldstein, a publié un livre intitulé *Secrets of Overcoming Sales Resistance,* qui répond bien aux objections qui ne sont que des alibis. Il en donne toute une liste. J'ai rencontré, et vous aussi, plusieurs de ces objections.

« A votre prochaine visite, j'aurai quelque chose pour vous . . . Aujourd'hui, ce que vous me proposez ne m'intéresse pas. Ce que vous me dites a du bon sens, mais je ne vois pas. Vous ne m'avez pas "piqué". Vous n'avez pas su capter mon attention. Vous ne m'avez pas assez parlé de moi. » De mes bénéfices: « Cher monsieur, vous feriez bien de profiter de l'occasion parce qu'apparemment, nous allons manquer de pneus cet hiver. C'est le meilleur moment pour faire votre commande, d'autant plus que j'ai préparé tous les documents. » « Cher monsieur, vous avez une chance de faire un profit personnel. On vous offre de distribuer notre produit dans une région inexplorée. J'aimerais vous voir avant d'en parler à vos compétiteurs. »

« A votre prochain voyage, passez donc me voir. » On sent encore moins l'intérêt. Il faut revenir au principe de base. Il faut réapprendre à capter l'attention: « Mais monsieur, si je vous disais que d'ici mon prochain voyage, vous avez une chance de mettre deux cents dollars dans votre poche, vous refuseriez? La prochaine fois vous serez peut-être encore plus occupé. Ce sera votre grosse saison. Vous serez peut-être en vacances. A ma prochaine visite, je devrai tout recommencer. Je sais que votre temps est précieux. Pourquoi ne pas profiter de cette rencontre? »

« Il n'y a pas assez de demande pour votre produit. Quand il y en aura une, j'en mettrai sur mes tablettes . . . » Beaucoup de vos clients ne pensent à acheter que lorsqu'ils voient. Ce que vous faites vous-même. « Je suis trop occupé. Je n'ai pas le temps. » Reprenez le même argument: « Ma visite vaut la peine que je me suis donnée. Pour vous. Accordez-moi une entrevue de dix minutes. J'ai à mon poignet une montre avec minuterie, je vous promets d'arrêter ma démonstration dans dix minutes exactement. » Et tout au long de l'entretien on sent grandir l'intérêt. Au moment de donner la solution à la réalisation du rêve, on entend la sonnerie de la montre. Le vendeur s'excuse. Et le client lui demande de continuer: « Ça m'intéresse ... » Créez une attente chez ceux qui n'ont pas le temps. « C'est parce que vous n'avez pas le temps que je suis venu vous voir. Ce que je vends gagne du temps. Le chef d'entreprise, c'est celui qui sait s'accorder les heures nécessaires pour découvrir les idées neuves. Celles qui peuvent produire des profits. Celles que je vous offre. » « Je ne m'occupe pas du marché en ce moment. Je ne vends rien. Je n'achète rien. » « Aussi longtemps que vos portes sont ouvertes, vous êtes sur le marché. Je viens vous aider à faire entrer plus de clients. Combien de choses on achète, sans qu'on l'ait prévu cinq minutes auparavant. Hier, dimanche, j'ai fait le plein. A la station-service, j'ai acheté un petit sapin qui donne une senteur agréable à ma voiture. Quand j'ai fait le plein, je n'avais pas l'intention d'acheter. C'était là, à côté de la caisse ... Quand je vous aurai fait ma proposition, peut-être que vous pourrez me dire que vous n'êtes plus dans le marché. Et là, vous aurez raison. Mais avant, vous pouvez difficilement le dire. »

Tous ces arguments du client ne sont pas vraiment des objections. Ce sont des alibis qui peuvent créer une impression de malaise chez le vendeur. Chez vous. « Ah! qu'il s'arrange », direz-vous. Ce n'est pas la façon d'aider quelqu'un. Je vais essayer de vous donner quelques conseils là-dessus, plus loin. L'alibi décontenance. C'est comme se faire mettre à la porte. Pensez au jeune vendeur qui se fait sortir d'une pharmacie. Pas à cause d'une objection. Sans raison. Un alibi. Pas d'échange de paroles. Il revient et demande un paquet de cigarettes. Après avoir permis au pharmacien de faire une vente, ce qui était lui rendre service, il demande, naïvement: « Pourquoi avez-vous flanqué l'autre, le vendeur, à la porte? »

3. Comment répondre aux objections

Trouver la recette qui correspond à la psychologie de la personne. Se mettre soi-même dans la peau de l'acheteur. Comment, vous, poseriez-vous vos objections?

A — D'abord écouter

Notre première réaction, c'est de répondre directement à l'objection. De répondre aussitôt qu'elle est posée. C'est mauvais. Il faut écouter pour apprendre, ne pas entendre seulement. Prendre le temps de respirer. De se détendre. De surmonter le défi de l'objection. De ne pas répondre aveuglément. Allumer une cigarette. Boire le café que l'on vous offre. Aider le client à

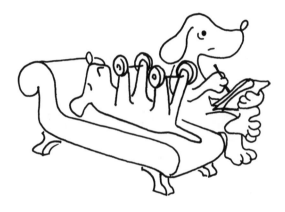

être explicite. « Est-ce que vraiment ce que vous désirez me dire, c'est que vous espérez acheter notre produit dans le but d'éviter des pertes inutiles? ... » « Etes-vous en train de me dire que notre prix est trop élevé par comparaison avec celui du concurrent? ... » Aider le client à mieux comprendre sa propre pensée. S'aider soi-même à mieux formuler sa réponse. Ecouter le client pendant qu'il parle, par courtoisie. Je suis toujours étonné d'entendre parler des négociations patron-ouvriers. Tout le monde parle en même temps. Qui écoute?

B — Des phrases rassurantes

Ensuite, parler. Mais je dois ménager l'autre, dans le respect qu'il a de lui-même, dans le sentiment de son importance. Ne pas craindre d'agir comme avec un enfant qui a peur: « Papa est là. C'est normal que tu aies peur. » Calmer ses craintes. Bâtir sa confiance. L'aider à se sentir intelligent. Ne pas nécessairement être en accord avec le client et le ménager. Ne pas l'offusquer inutilement non plus. Le rassurer. Prendre ses objections au sérieux. Lui faire sentir que sa question n'était pas ridicule.

« Je comprends ce que vous ressentez, mais si je ne me trompe, vous avez toujours eu comme but principal d'augmenter la rentabilité de votre entreprise. » Reporter le débat sur la renta-

bilité, c'est se raccrocher au rêve à réaliser. C'est détourner les objections soulevées sur la question du prix ou de la livraison. « Il est normal que vous pensiez ainsi, mais nous pourrions examiner le tout sous un autre angle: celui des profits à réaliser pour payer l'investissement dans une telle entreprise. » Encore le rêve par le profit à réaliser. « J'apprécie beaucoup vos remarques. Elles sont à retenir. Mais il serait bon d'examiner l'aspect sécurité de notre produit. » La sécurité, un autre rêve à réaliser. Et on pourrait aller plus loin. Prendre note des objec-

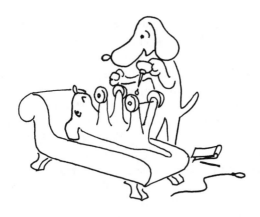

tions. Les inscrire sur une feuille de papier. « Je ne vous blâme pas d'être prudent. On ne l'est jamais assez. La grande majorité des gens devrait l'être plus. Mais la rentabilité que vous cherchez vaut-elle le risque que vous devez prendre? »

« Je suis très heureux de vous voir suivre cette idée. Elle mérite notre considération. Mais calculons les avantages que vous assure une meilleure livraison. » C'est une technique que notre ancien Premier ministre, Daniel Johnson, utilisait souvent lorsqu'il donnait des conférences de presse: « Je suis content que vous me posiez cette question, cela me fournit une excellente occasion d'y répondre. » C'est une phrase flatteuse et rassurante. Une technique que nous pourrions utiliser souvent avec nos enfants, d'ailleurs: « Je suis content que tu me poses cette question, mon gars, ça va me permettre de t'expliquer certaines choses que j'allais oublier. » « Je suis content que tu me fasses telle ou telle remarque, ce sont des remarques à retenir. » « Vous avez de bonnes raisons de penser comme vous le faites et je ne voudrais pas ignorer votre point de vue, au contraire; cependant ne serait-il pas préférable d'examiner le tout en partant de la possibilité d'augmenter considérablement les ventes en faisant une meilleure publicité? »

Vous pouvez trouver à l'infini de ces phrases qui contournent les objections sans choquer. « Plusieurs personnes avaient la même objection que vous quand je leur prédisais l'augmentation de leur chiffre d'affaires grâce à notre publication. Mais après un bref examen, elles se sont facilement convaincues du contraire. » « Cela semble correspondre à ce que vous dites, et les deux derniers clients avec lesquels j'ai discuté ont eu la même réaction que vous, mais je leur ai expliqué que notre produit, grâce à son coefficient de roulement élevé, accorde un retour exceptionnel sur l'investissement à l'inventaire. Ils ont changé d'avis. » « Votre point de vue se défend, mais demandez à votre voisin d'en face qui disait la même chose. Lorsqu'il a réalisé l'importance des économies qu'il pourrait faire en plaçant un compte-mètres sur ses machines-outils, il a vite compris qu'il devait se procurer sans attendre, cette pièce d'équipement. »

Ces petites phrases rassurantes ont le don, pour le client et pour le vendeur, de garder le dialogue dans une atmosphère agréable. Le vendeur commence à saisir qu'il est intéressant et qu'il n'est pas fou de donner les explications qu'il donne. Il commence à se convaincre lui-même. Vous commencez à vous convaincre vous-même. Vous vous rassurez vous-même. Vous vous calmez. Vous ne vous sentez pas en opposition avec votre interlocuteur. Au contraire. Un jour, peut-être, entre patrons et ouvriers, on utilisera des phrases rassurantes. Le patron aura l'honnêteté de dire à ses ouvriers: « Je comprends ce que vous ressentez. Si j'étais à votre place, j'aurais peut-être les mêmes réactions. Parce que je n'en saurais pas plus long. Comme j'en sais plus long, je vais vous expliquer pourquoi j'ai pris cette décision. Et comment la situation toute entière a milité en fonction de cette décision plutôt qu'une autre. Vous allez voir que je n'essayais pas de vous brimer. C'était à votre avantage. » Je suis convaincu que les patrons devraient faire plus souvent des « ventes » de ce genre-là. Et les ouvriers, eux aussi, pourraient faire plus souvent usage de phrases rassurantes: « Je comprends ce que vous ressentez, monsieur le patron. Mais vous ne vivez pas toute la journée dans l'usine. Vous n'avez pas le temps de voir ce qui s'y passe. Nous avons honnêtement essayé de vous brosser un tableau exact de la situation et de vous montrer que notre voeu n'est pas tellement éloigné du vôtre. » L'ouvrier lui aussi fait une vente.

Et la phrase rassurante peut aussi être utilisée dans votre famille. Combien de fois on pourrait dire à son épouse: « Je comprends ce que tu ressens. Si j'avais vécu la même journée que toi, je ressentirais la même chose... » Remarquez le visage qu'elle aura à ce moment-là. Vous allez voir la tension, les objections, tout ce qui paraissait dans ses yeux, disparaître. Pourquoi? Parce que la phrase rassurante témoigne de la chaleur humaine, de la sympathie. L'objection est levée.

C — Trouver la solution

Nous sommes rendus à la troisième étape, à savoir: trouver la

solution. Reprendre parmi les avantages et les bénéfices que vous aviez signalés durant l'étape précédente, ceux qui vous semblent les plus favorables. « Je vous comprends très bien. Je l'ai, l'affaire. Je peux vous aider. » Après votre phrase rassurante: « Mais monsieur, à l'intérieur d'une entreprise comme la vôtre, ce qui vous intéresse, c'est une meilleure rentabilité et de plus grands profits. Certains de nos clients ont obtenu une augmentation des ventes de vingt-cinq pour cent supérieure à celle des mêmes mois l'an dernier, grâce à notre étalage. L'installation de ces tablettes au centre de votre magasin, va augmenter vos ventes de vingt-cinq pour cent. » Le client, qui trouvait le prix de votre étalage élevé, conclut que la dépense n'est pas exagérée. Donner la preuve mathématique: « Vous avez vendu en octobre l'an dernier, trois mille dollars de pièces. Si vous augmentez de vingt-cinq pour cent, cela veut dire sept cent cinquante dollars de plus de ventes. Ventes sur lesquelles vous faites trente-trois pour cent de profit. Deux cent cinquante dollars de profit brut... pour quarante dollars d'investissement, le coût de notre étalage. » Le quarante dollars devient un montant ridicule. J'ai eu l'occasion de reparler de la preuve mathématique en donnant la solution. Je pourrais reparler de la preuve par le témoignage: « Untel profite déjà de ces avantages. »

4. Convertir les objections en avantages

Les gens ne réalisent pas toujours, lorsqu'ils essayent de convaincre quelqu'un, que les objections qu'on leur fait sont des chances extraordinaires de rendre les avantages plus évidents. En général, on n'a pas confiance en soi-même dans deux secteurs.

Premièrement, on n'a pas confiance en ses connaissances: en sa connaissance du profit, du service, du pourquoi. On a l'impression qu'on ne sait pas tout. La seule façon de regagner sa propre confiance, c'est d'apprendre. De réapprendre. On n'a pas confiance dans les politiques de la compagnie. On ne sait pas pourquoi elles ont été faites. Pourquoi elles ont été faites comme cela. On n'est pas informé. On a pris pour acquis que ça a toujours été fait de cette façon. On n'a pas demandé pourquoi. Les astronautes savaient « pourquoi ». Pourquoi cette politique-là, pourquoi ce mode d'expédition? On a aussi peur de la concurrence. De ce qu'elle peut et ne peut pas faire pour le client. On connaît mal les affaires du client. On n'a pas fait une vraie enquête. On est trop pressé. Ou trop gêné. On n'ose pas demander. Et dans ces quatre domaines, on devrait tout savoir.

Deuxièmement, on n'a pas confiance en son habileté. Et son habileté à comprendre et à composer avec les gens, avec ceux qui vous entourent. Habileté à dialoguer. Habileté à traduire en bénéfices, en avantages, en résultats appréciables. Habileté à éduquer un client. A bien lui faire saisir pourquoi on veut lui rendre service, pourquoi on l'aide. Habileté à persuader quelqu'un, à gagner sa confiance. Tous les humains en ont besoin. Habileté à répondre aux cinq besoins de Maslow. Apprendre à connaître les affaires du client et ses rêves, à les connaître de l'intérieur.

Avoir confiance. Et ne pas dire à la première objection: « Je savais que ça n'irait pas. » N'allez pas voir un client avec une telle moralité. Trouvez la réponse. Où? Partout. Au bureau, avec les gens qui vous entourent. Vous n'êtes pas unique. Les autres vendeurs aussi ont des objections. Demandez. Ils ont des idées extraordinaires. Pensez au livre de Goldstein. Et des objections, il n'y en a pas des tonnes: on peut en distinguer quatre grandes catégories.

5. Les quatre sortes d'objections

L'objection du prix
L'objection de l'habitude
L'objection de la compétition
L'objection de l'ignorance

J'ai donné aux vendeurs du *Bottin vert* un cours sur la vente des inscriptions à cet annuaire. Une des choses qui m'avait frappé, c'était la grande diversité des objections. Les vendeurs m'avaient fourni tout un catalogue d'objections. Après les avoir analysées, je me suis rendu compte qu'elles entraient dans quatre grandes catégories. Exemple: on vous sert souvent l'objection du prix ... et de diverses façons; l'objection de l'habitude, de la résistance au changement; l'objection de la compétition; vous n'êtes jamais le seul à avoir eu cette idée. Et si vous êtes le seul, d'autres idées s'opposent à la vôtre; l'objection de l'ignorance; les objections de ceux qui n'osent pas dire qu'ils ne comprennent pas, qui n'osent pas avouer leur ignorance.

A — L'objection du prix

La plus souvent rencontrée: « Mon budget est dépensé. » « Je peux obtenir votre produit à meilleur prix ailleurs. » « Votre prix est excessif. » Un prix n'est jamais trop élevé. Rien ne peut être déclaré trop dispendieux en soi. Le prix est une question de comparaison. Savoir comparer les choses entre elles.

Quand on commence à comparer, on peut arriver à des conclusions très différentes. Un garçon disait: « La vache est un animal à quatre pattes. Le cheval est aussi un animal à quatre pattes, donc une vache est un cheval. » Vous, vous vendez des crayons à dix cents; or des crayons peuvent être achetées à cinq sous, donc tous les crayons devraient se vendre cinq sous, donc vous vendez vos crayons trop cher ... L'objection-prix est une objection d'équilibre et de comparaison. Comment faire pour y répondre? Ecouter. Se servir de phrases rassurantes et, rendu à la solution, montrer les avantages. Illustrer les choses par l'image de la balance: la balance penche du côté du plateau des prix. Dans l'autre plateau, mettez les avantages, les bénéfices, ce que vous avez à offrir de plus: votre crayon se vend dix sous? Il dure trois fois plus longtemps. Tous les crayons ne doivent pas se vendre cinq sous. Aidez le client à reconnaître que votre prix n'est pas plus élevé.

Un fauteuil

Une dame demande le prix d'un fauteuil.

— Cent quatre-vingt neuf dollars.

— Et celui-ci?

— Soixante-dix-neuf.

— Oh, la, la! C'est moins cher.

— Oui, madame, le prix est plus bas. Mais ce n'est pas moins cher. Le fauteuil de soixante-dix-neuf, à cause de sa fabrication, est moins solide. Durée de vie: un an. L'autre est renforcé d'angles de métal et le plastique qui le recouvre est de meilleure qualité. Durée de vie: trois ans. Après trois ans, le moins cher vous aura coûté deux cent trente-sept dollars. On peut dire que celui de soixante-dix-neuf vous coûte quarante-huit dollars de plus que l'autre.

Voir les avantages. Pensez aux trois grands V. Ils permettent de répondre à l'objection-prix. Valeur. Savoir montrer la valeur de l'objet. Certaines choses ont plus de valeur. Les produits ne peuvent pas se vendre tous au même prix. Les méthodes de fabrication varient. Les services varient. L'emballage n'est pas toujours le même. La recherche varie, de même que le volume et la quantité que vous vendez. Variété. « Nous avons au-delà de huit mille pneus à l'inventaire. Notre entrepôt en contient quarante mille.» Un coup de téléphone vous permet d'obtenir beaucoup plus de produits. Meilleur service. Les trois V vous aident à établir la comparaison. A faire pencher la balance. L'objection-prix est une belle objection. Elle permet de reprendre la proposition. Elle permet de tout recommencer à neuf, preuves, démonstrations. C'est peut-être l'objection à laquelle il est le plus facile de répondre et qui pourtant fait le plus peur. Votre prix est élevé? Vous vendez de la qualité. Votre prix est bas? Vous vendez à prix populaire. Vous vendez selon les clients. Vos marchés sont différenciés. Il y a toujours une réponse. Il faut y penser d'abord, vous constituer une méthode personnelle de vente.

John Glenn

Quand John Glenn est revenu au sol après son voyage sur la lune, les journalistes lui ont demandé s'il avait eu peur. Il a répondu que oui, mais qu'il ne se souvenait pas quand: « Quand la fusée est partie? Quand on vous a enfermé dans la capsule? Quand vous avez entendu le bruit du départ? La vibration? Quand vous avez été mis en orbite autour de la terre? A la descente? Lorsque vous dirigiez votre capsule dans un trou de dix pieds à peine? » Et John Glenn se rappela quand il avait eu peur: « J'ai eu peur une semaine avant de partir. Pendant la répétition générale. On m'a installé dans la capsule. On a barré la porte. Et j'ai vu devant moi des centaines de petits cadrans. Tous importants. C'est eux qui me ramèneraient au sol. Et j'ai eu peur quand je me suis dit, en les voyant: "Tous ces petits cadrans ont été faits par le plus bas soumissionnaire". » Le plus bas soumissionnaire ne vous donne pas toujours la meilleure chance de réussir. Un pneu à sept dollars quatre-vingt-quinze ... il peut éclater à quarante milles à l'heure. J'ai aussi des pneus à quarante dollars. Ils n'ont pas été faits par le plus bas soumissionnaire.

B — L'objection de l'habitude

L'objection créée par la résistance au changement. Je n'aime pas changer mes habitudes. Elles font ma sécurité. Ne me demandez pas pourquoi. Ne demandez pas à celui qui fume pourquoi il le fait. Il ne sait pas pourquoi. Il aime cela. Je suis habitué

à acheter telle ou telle quantité. De telle façon. Je passe mes commandes de telle façon. Je paye de telle façon. Je suis habitué à faire affaire avec telle compagnie. J'achète tel produit. On rencontre ces habitudes tous les jours. Pour répondre aux objections qu'elles créent, il faut d'abord écouter, se servir de phrases rassurantes, pas de phrases qui sont en contradiction avec ce que dit le client. Il doit sentir que vous le respectez. Ce que vous lui offrez n'est pas aussi nouveau qu'il le pense. Vos phrases rassurantes ne doivent pas être suivies du mot « imbécile », même si les objections créées par l'habitude vous donnent le goût de traiter votre client d'imbécile.

— Moi, je prends toujours mes commandes chez Untel. J'aime travailler avec Untel. Il représente une bonne maison.

Et moi, je sais que M. Untel est un voleur. Je n'ose pas le dire. Ça voudrait dire que le client est imbécile de faire affaire avec M. Untel.

— Vous avez raison. M. Untel vend un excellent produit. Il a beaucoup d'expérience dans la vente. Mais vous ne trouvez pas qu'il est dangereux de s'approvisionner à une seule source? Surtout qu'il travaille pour une compagnie menacée par les conflits ouvriers. Vous auriez peut-être avantage à ne pas abandonner complètement M. Untel mais à passer un tiers de votre commande chez nous. Nous garantissons la même qualité.

Montrer qu'il ne faut pas changer ses habitudes, mais qu'il faut les modifier. Faire comme on a fait à la soupe Campbell: une soupe à l'ancienne servie à la moderne. C'est la soupe de votre grand-mère, c'est la même soupe mise dans des petites boîtes. Vous n'avez pas eu à changer vos habitudes.

— Moi, monsieur, je n'achète que des produits fabriqués dans notre province ...

Et les voitures? Et les camions? Faut-il revenir à la charrette? (imbécile!)

— Mais, monsieur, est-ce que les temps modernes n'exigent pas d'avoir un peu plus le sens des marchés mondiaux? Faut-il se limiter au petit secteur d'une seule province?

— Jean-Paul, c'est un ami à moi. On est voisin. On joue au golf ensemble. Je ne peux pas lui enlever ma clientèle.

— D'accord. Vous avez raison, mais est-ce qu'il n'est pas dangereux d'acheter toujours du même? Diversifier? Votre ami Jean-Paul verrait-il d'un mauvais oeil que vous donniez quelques commandes à l'extérieur?

A Toronto

Un homme avait fondé une société de fiducie à Toronto. Ce que l'on appelle en anglais un « trust ». Cette société nouvellement fondée avait de la difficulté à gagner la confiance du milieu financier torontois. Pour gagner cette confiance, le fondateur du *York Trust* a été chercher de vieilles images de soldats de l'époque où York était un Etat. Il les a fait agrandir et coller sur un mur de l'une de ses succursales. Toute la publicité fut centrée sur l'ancienneté de l'Etat de York. Après cinq ans, par une enquête, on découvrit que la plus vieille société de fiducie opérant à Toronto, c'était la *York Trust*. C'était la plus jeune. Jamais on n'avait parlé de l'âge de la *York Trust*. On l'avait habillée.

Savoir faire passer une vieille idée. Avoir de la patience. Etre habile. Faire passer le message. Démontrer au client qu'il ne change pas beaucoup. Qu'il ne prend pas de risques. « On ne change pas une recette gagnante. » Pourquoi changer une recette gagnante? « J'ai un bon fournisseur de boîtes d'emballage. » Il pourrait en avoir un meilleur. Donner toutes les conditions de l'achat. Etre clair. Apporter beaucoup de preuves, des témoins sûrs. Surmonter les craintes de ceux qui ont peur de l'étranger. Leur rendre un service au départ. Faire fondre la résistance au changement par la reconnaissance.

Il y a quelques années, j'étais sur la route avec un vendeur de peinture pour automobiles. Nous visitions des ateliers de débossage. Ce qui me frappait, c'était la grande capacité qu'avait ce vendeur de rendre service. Il offrait, avant qu'on le lui demande, de venir mettre de l'ordre dans l'étalage. « Il viendrait même samedi. En nettoyant, il se faisait une meilleure idée de l'inventaire. » Et il brisait la résistance du client. Le client pouvait parler.

Lorsque vous téléphonez, laissez votre nom mais pas votre numéro. Vous êtes sur la route. Le client se sentira obligé. Ça vaut la peine de faire un appel interurbain. C'est après cinq ou six appels que vous lui demandez de le rencontrer. Il a l'impression de vous connaître. Vous avez brisé la barrière.

C — L'objection de la compétition

L'une des plus courantes: les produits uniques sont rares. Un autre produit ou une autre idée est concurrente. Votre concurrent pour vendre une automobile, ce n'est pas nécessairement l'un des quatre grands de l'automobile. Ce peut être celui qui vend autre chose qu'une promenade en automobile: le cinéma, la télé-

vision, le voyage. Les objections sont nombreuses et faciles à grouper. Il faut d'abord bien les connaître: toutes les compagnies ont fait des recherches qui permettent d'établir les avantages ou les désavantages de la concurrence. Faire des comparaisons: votre produit dans la balance et le produit des concurrents. C'est un travail à préparer à l'avance. Connaître les réponses par coeur. Les compagnies X, Y, Z. Parler flexibilité, garantie, livraison. Notez sur un tableau les avantages que votre compagnie offre: le produit, le service, la politique, vos connaissances en installation. Votre concurrent aura ses bons points, mais vous en présenterez plus que lui. Vous savez comment réagir parce que vous avez prévu: « Je suis content que vous me parliez de telle ou telle chose parce que ça m'aide à savoir que vous avez regardé ailleurs. On ne regarde jamais assez. Ça me fait plaisir de voir que mes clients sont sérieux, qu'ils n'ont pas peur de vérifier ce que je dis. » Bien s'assurer que l'on comprend l'objection et que le client dit bien ce qu'il veut dire. Savoir ce dont on parle. Demander au client ce qu'il sait du concurrent. Fait-il affaire avec lui depuis longtemps? Se mettre dans ses souliers. L'aider à comparer. Ne jamais dénigrer la concurrence: vous risquez de dénigrer en même temps le client qui fait affaire avec elle. On respecte le vendeur qui respecte ses concurrents. Le général Patton avait sur les murs de son bureau la photo d'un général allemand qu'il respectait: Rommel était admiré par les généraux alliés. Bien connaître ses adversaires.

D — L'objection de l'ignorance

Je ne sais pas. Je n'ose pas dire. Je cherche des excuses qui peuvent sembler des objections. Elles n'en sont pas. « Je n'ai pas de buget »: ce n'est pas une objection sur le prix. C'est une

façon de vous dire que je ne sais pas ce que je dois faire. Je me demande comment les autres vont agir si j'achète telle automobile. « C'est un mauvais achat. » J'ai peur. Vous devez me donner les explications et les arguments qui me permettront de justifier mon achat aux yeux de mes amis. De ma femme. De ma famille. De mon patron. Le bon vendeur m'aide à refaire la vente. Il réfute les objections dues à mon ignorance. Je vais vous donner des détails. Je vais vous faire une démonstration. Je vais vous faire voir, goûter, toucher. Je vais vous instruire, vous éduquer. Les plus avertis ont souvent besoin de plus d'informations. Devenir professeur.

Dire ce que le client veut entendre. Il ne doit pas me trouver intelligent. Il doit être fier de comprendre. Le rassurer par des pourquoi. Le faire monter dans la pyramide. « Dites-moi pourquoi ça fait un bruit. » « Dites-moi pourquoi ça risque de se briser. » « Dites-moi pourquoi vous me mettez des pièces de rechange. » « Dites-moi pourquoi c'est comme cela. » Combien de personnes apprécieraient plus leur voiture si elles savaient pourquoi elles ont été faites ainsi? Comment conduire sans savoir pourquoi? Montrer. Montrer. Montrer.

E — Les plaintes

Le vendeur rencontre un jour ou l'autre les plaintes. Il doit savoir y répondre. Une plainte est une objection. Juste ou pas, elle existe. Si j'ai l'impression d'avoir été joué, de ne pas avoir reçu la quantité demandée, je porte plainte.

J'ai acheté un tapis pour un parent. J'ai envoyé le poseur prendre les mesures. A son retour, il m'a dit: « Il faudra vingt verges ... » Première impression: « Ça n'a pas de bon sens. » J'avais une plainte. Le poseur est retourné prendre ses mesures. Cinq verges par quatre, ça fait vingt. Vrai ou pas, c'est le fait que je pense que ce soit vrai ou pas qui est important. Ce que je pense, moi, comme client. Le vendeur doit savoir deviner les sentiments du client, faire preuve d'empathie. Je porte plainte parce que je suis tendu. Je suis tendu parce que je porte plainte. Je suis pris par mon problème: mon rêve qui ne se réalisera pas. Je suis effrayé: l'image que je me faisais de moi est en péril. Les gens vont rire. Plainte du client d'automobiles. « Vous m'avez vendu un citron. » Il éprouve le besoin de rabaisser son auto en public pour relever son sentiment d'estime de soi et celui de son importance.

Besoin d'un service. Je cherche la personne qui m'aidera à passer une mauvaise période. Combien de fois ai-je la chance de laisser échapper de la vapeur? Combien de personnes ont fait au travail des colères monstres parce que ça allait mal à la maison! Et vous, le vendeur, vous devez laisser parler votre client. Le laisser se sentir « plus lui ». C'est souvent la meilleure façon de revendre quelque chose, de revendre votre solution une seconde fois.

Une vraie plainte

Premièrement, reconnaître qu'il y a plainte et y aller au plus vite. Vous recevez un appel téléphonique et vous vous préparez à entendre une plainte. Rendez-vous chez le client rapidement. Ecoutez. Laisser s'échapper la vapeur. Approuvez: « Vous avez raison. Notre service n'était pas extraordinaire. Si j'étais à votre place, je serais malheureux. Je serais très malheureux. Je comprends ce que vous ressentez. » Vous lui laissez dire ce qu'il pense.

Deuxièmement, faire une enquête, obtenir les faits véritables, pas des à-peu-près. « C'est une commande passée il y a à peu près trois mois . . . » Obtenir la date précise, le numéro de la facture, le numéro d'expédition. Analyser les politiques de la compagnie. Découvrir la cause de la plainte. Parler à toutes les personnes impliquées. Rencontrer le mécanicien qui a installé la pièce sur le camion: parler avec lui, ne pas chercher un coupable. Clarifier l'affaire.

Troisièmement, analyser la plainte. Voir ce qui est vrai, juste, voir si le client a raison. Examiner la jurisprudence. Trouver une solution qui paraît juste et dans votre tête et dans celle du client. Le client, la compagnie et le vendeur doivent recevoir justice en même temps.

Quatrièmement, donner satisfaction. Régler la plainte: vous communiquez votre décision au client. Vous la lui vendez. Vous lui montrez qu'elle est juste et honnête. Vous vous assurez qu'il est satisfait. S'il ne l'est pas, vous recommencez.

Cinquièmement, vérifier. Retourner voir le client, s'assurer de sa satisfaction, vérifier que tout va bien.

Si c'est le client qui est en faute, votre solution et tous les règlements que vous proposez doivent lui rendre la tâche facile. S'il doit reculer, il ne doit pas perdre la face. Quand il a pris position, il lui est difficile de battre en retraite. C'est le quatrièmement de la pyramide. Ménagez le sentiment de son importance: personne n'aime admettre son erreur. Le bon vendeur capable de régler une plainte fait en sorte que ça ne fasse plus rien au client. Il est d'accord. Le bon vendeur doit respecter la position de celui qui a tort. « J'aurais eu la même attitude. J'aurais pris la même décision. » Vous l'aidez à descendre de son piédestal. Vous lui permettez de revenir vers vous. D'être d'accord pour de bon. Epargner la fierté de l'autre. Ne jamais, par votre décision, le traiter d'imbécile. Si vous savez l'utiliser, une plainte peut être une chance de faire des ventes de plus.

Un fournisseur de matières premières avait promis de livrer une commande à une date précise. Le jour dit, le client lui fait savoir qu'il a de la matière première pour la matinée, mais que sa commande n'est pas encore rentrée. Le fournisseur se rend immédiatement chez le client. « Vous voyez, je suis venu avec des camions. » C'était en fait toute une série de taxis, remplis de matières premières. « Vous aurez la matière première nécessaire à votre travail pour le reste de la journée. En attendant, je m'assoie dans votre bureau et je me mets à la recherche du camion qui devait assurer la livraison. » Voilà ce qui s'appelle régler une plainte, trouver une solution. Faire en sorte que le client aie raison.

Comment vendre un aspirateur

Un vendeur me racontait sa façon de répondre à l'objection de la durée:

— Mon cher monsieur, mon aspirateur a dix ans et il fonctionne magnifiquement.

— Vous avez raison, madame. Ça paie toujours d'acheter de la qualité. Trop de gens sont attirés par des gadgets. Vous avez acheté un très bon aspirateur. Tous mes clients qui ont acheté de bons aspirateurs parlent comme vous.

— Madame Tremblay, peut-être que je pourrais réviser votre aspirateur actuel. Et vous pourriez vous en servir pour les travaux plus gros. Vous pourriez utiliser votre nouvel aspirateur avec des brosses de nylon pour des travaux plus délicats. Je peux vous faire une démonstration.

Fer à repasser: mauvaise vente et mésaventure

Je regardais des fers à repasser. Certains coûtaient dix dollars quatre-vingt-quinze. D'autres, quasi identiques, quatorze dollars quatre-vingt-quinze. Je demandais à la serveuse de m'indiquer leurs différences. Elle me répondit imperturbablement: « Quatre dollars, monsieur. »

Je lui rends
la proposition facile

Avoir la ténacité d'un enfant

L'enfant demande avec insistance. Il est d'une ténacité extra-ordinaire. Nous, adultes, quand nous faisons une « commande », par exemple, quand nous demandons à notre patron une augmentation, nous avons peur. Et si on examine les choses de près, c'est que nous avons peur du refus. Nous avons peur d'un non. Ça fait mal, un non. Ça prouve que je ne suis pas bon. Plutôt que de faire la preuve que je ne suis pas bon, j'aime mieux poser des questions, parler, faire en sorte que la vente s'éternise, faire en sorte que rien n'arrive. L'enfant n'a pas cette attitude: prenez, par exemple, celui qui veut aller au parc d'amusement: il trouve toutes les raisons, il vous trouve toutes les preuves; il vous prend par les sentiments s'il le faut. « Pour être un bon père, tu dois... Pour être une bonne mère, tu dois... Lâche tes chaudrons et ta couture. » Et le soleil au parc, c'est meilleur pour sa santé. Il utilise l'argument du besoin physiologique. Il vend son parc. Il trouve l'argument définitif: « Est-ce que je pourrais y aller en costume de bain? » Vous êtes obligé de capituler: vous l'emmenez au parc.

Pourquoi l'enfant a-t-il tant insisté? Pourquoi n'a-t-il pas ce réflexe de défense: « Je fais mieux de ne pas le demander, parce qu'il va dire non. » Alors, on ne demande pas. Et on dit ensuite que c'est parce qu'il ne veut pas. On revient à l'histoire de l'homme qui disait « garde-la, ta pelle ». Si je ne demande pas au client, il ne dira pas non. S'il ne dit jamais non, je ne risque pas de me tromper. Donc je suis gagnant. L'enfant sait que s'il insiste, il sait que même si son père ou sa mère disent non, ils l'aiment. L'enfant sait que son « client » l'aime. Le fait de dire non n'est pas une preuve d'hostilité. Les adultes n'ont pas la même confiance. Nous avons peur de subir le refus. Un refus est perçu comme une attaque personnelle. Quand vous apportez de l'aide à quelqu'un et qu'il refuse, vous n'avez pas l'impression d'être attaqué. Jamais dans toutes les statistiques de l'assurance-vie, on a rapporté le cas d'un vendeur mort à la suite d'un refus. Un refus, c'est un départ. « Vous avez raison mais pourquoi? J'aimerais le savoir. Si ce que je vends n'a aucune utilité, peut-être que je devrais vendre autre chose. Vous avez le droit de me le dire et j'ai le droit de demander. » Au moment de conclure une vente, le vendeur a peur de demander la commande. L'acheteur a peur d'acheter. De déséquilibrer son budget. De sortir des dollars. De fournir un effort devant l'inconnu. L'acheteur se servira d'une formule: « Je trouve votre proposition intéressante. Je vais en parler à mes comptables. Je vous donnerai des nouvelles. » La façon de répondre, c'est de lui dire: « Vous avez raison, monsieur le client. Demandez aux gens. Vérifiez auprès de ceux qui vous entourent. Vos associés ont le droit de connaître. Mais j'aimerais m'assurer avant, que vous avez bien saisi toutes les explications que je vous ai données. Après vous pourrez rencontrer vos associés. Par quoi, pensez-vous, seront-ils intéressés et par quoi seront-ils agacés? » Refaire la vente. Reconvaincre le client. Remettre les deux peurs face à face. Celle du vendeur et celle du client. Les atténuer. Les faire disparaître.

Vous rendez service à l'acheteur

Le vendeur doit se convaincre qu'il rend service à l'acheteur. Si je ne rends pas service à l'acheteur, si je ne suis pas convaincu que ce que je vends est bon, j'ai raison d'avoir peur. Se vendre soi-même à soi-même. Etre certain que d'obtenir une commande, c'est la bonne affaire. Ne pas tourner en rond. Ne pas dire: « Pensez-y, monsieur Tremblay, je repasserai demain. » Et pourquoi passer demain, si monsieur Tremblay est prêt à acheter? « Je n'ai pas tous mes papiers avec moi. » Pourquoi aller à la guerre sans papiers? Vous n'avez pas de catalogue! C'est impossible. Vous n'êtes pas « vendu ». Vous devez vous convaincre. Pourquoi le vendeur d'assurances se décourage-t-il aussi vite? Est-il convaincu qu'il vend ce qu'il y a de meilleur? Vous voulez vous convaincre? Faites comme mon ami Bob.

Bob, avant de vendre une police d'assurance d'un million, s'en est vendu une ... à lui-même. Il l'a essayée. Maintenant, il peut dire à ses clients: « J'en ai une, je me suis impliqué. Je me sens bien depuis que je possède cette police. » Si vous ne vous sentez pas comme Bob, rencontrez votre patron, vos amis vendeurs et faites-vous vendre votre produit. Au lieu de tenir toutes sortes de meetings, de réunions, toujours les mêmes, vendez-vous le produit.

Quand je fais, dans les entreprises, une séance de « Role Playing », j'entends souvent le vendeur me dire: « Ce n'est pas un vrai client que j'ai devant moi. C'est un autre vendeur et c'est plus difficile. » Et si c'est plus difficile, c'est une meilleure école. Tous les cuisiniers doivent se vendre leur recette. Celui qui n'aurait pas le goût à sa recette ne vous intéresserait pas.

L'acheteur craint l'achat. Il craint d'être dérangé. Il n'aime pas l'état de fièvre dans lequel vous l'avez placé. Vous l'avez déséquilibré, bousculé. Vous l'avez forcé à prendre une décision: vous devez l'aider à se décider. Vous devez l'amener à conclure une vente.

Prenez pour acquis que le client achète. Vous êtes prêt pour utiliser la double question. Une technique qui n'est pas récente. Au lieu de dire: « Vous le voulez ou vous ne le voulez pas? », vous posez votre question à partir d'un aspect secondaire, la livraison par exemple. « Nous allons livrer immédiatement ou la semaine prochaine? »

Les deux châles

« En 1844, Balzac écrivait une petite nouvelle intitulée *Un Gaudissart de la rue Richelieu.* C'est l'histoire d'un vendeur de châles qui ne disait pas: « Vous voulez un châle ou vous n'en voulez pas? » mais qui disait plutôt: « Celui-ci, madame, est plus avantageux. Il est vert pomme, la couleur à la mode; mais la mode change. Tandis que ceux-ci, le noir ou le blanc, peuvent aller avec toutes les toilettes . . . »

« Choisissez votre couleur »

Un vendeur de produits pharmaceutiques avait comme tâche, en plus de vendre ses produits, de vendre l'étalage. Les éléments qui composaient celui-ci étaient offerts au client en différents modèles: imitation de bois, de chêne, de noyer ou blanc. La consigne avait été donnée aux vendeurs de parler de leur étalage mais de ne pas demander au pharmacien d'en exposer un dans sa pharmacie. On avait aussi demandé au vendeur d'attendre le moment de la commande, de sortir des échantillons des étalages et, en jetant un coup d'oeil sur les comptoirs déjà existants, de prendre l'échantillon qui leur ressemblait le plus et de comparer. « Nous avons l'étalage fini noyer qui ressemble aux meubles que vous avez déjà et nous avons aussi l'étalage blanc, plus hygiénique et d'aspect plus médical. » Selon le choix du pharmacien, le vendeur ajoutait sur son bon de commande: « comptoir blanc, comptoir fini noyer », etc. Le vendeur n'avait pas demandé au pharmacien de commander un étalage. Il lui avait donné l'occasion de choisir sa couleur. Noyer ou blanc. C'est la double commande, principe analogue à ce que les experts appellent « vérifier les extrêmes »: « Vous utilisez le produit de telle ou telle compagnie qui est une bonne compagnie. Qu'est-ce que vous aimez de ce produit ou de cette compagnie? Et qu'est-ce qui vous déplaît le plus? »

Les Laurentides

Un de mes enfants n'avait pas compris ce que sa mère lui avait demandé. Il n'avait pas obéi. Ma femme décida de le punir en refusant à l'enfant la permission d'aller passer quelques jours en vacance dans les Laurentides. L'enfant, déçu, vint me demander si je lui donnais la permission d'aller à la campagne. « Je ne peux pas te permettre d'aller à la campagne, ta mère seule peut te donner cette permission. Il s'agit pour toi de faire une vente. » Et je l'entendis dire à sa mère avec toute sa spontanéité d'enfant: « Quand veux-tu que je revienne des Laurentides? »

Tous les clients ne se décident pas du premier coup. Ils n'acceptent pas tous de répondre à la double question. Plusieurs demandent au vendeur de ralentir: « Pas si vite, laissez-moi un peu de temps. Je vais y penser. » Quoi faire? Clarifier. « Vous avez raison de prendre votre temps. De quoi faudrait-il parler? Quels sont les points à reprendre? Quelles sont vos objections? » Poser des questions et écouter.

Conclure

Les Américains ont analysé les raisons pour lesquelles une vente doit être clarifiée, comment et à quel moment. Ils se servent, pour s'en rappeler, du mot *Close*.

C pour comparaison: « Vous achetez ce produit? C'est ce que telle ou telle grosse compagnie a fait. » Un repas sans vin, c'est comme une journée sans soleil. « C'est comme. » Des comparaisons que vous pouvez préparer, que vous avez utilisées dans votre proposition. Vous les reprenez. Vous les présentez plus à fond. Vous utilisez des comparaisons flatteuses qui incitent le client à acheter: « Ça, monsieur, c'est la Cadillac des machines comptables. » Une comparaison plus éloquente que le chiffre de l'appareil: une I.B.M. trois cent trente-six ou cinq cent quarante. La « deux cent soixante-dix-sept », ça ne veut rien dire. La Cobra, c'est déjà mieux.

L pour « loss », perte. Peindre le rêve en négatif, comme le couvreur qui vous dépeint le désastre causé dans votre salon par votre toiture défectueuse. « Ce serait triste, monsieur le client, si vous n'achetiez pas. Tout ce que vous allez manquer. Vous ne verrez pas le soleil. Vous passerez vos longues fins de semaine à la ville. Mais avec cette roulotte . . . »

O pour opinion. Quelle est votre opinion? Utiliser l'argument des extrêmes. « Qu'est-ce que vous en pensez? Croyez-vous que ceci a de la valeur? Pensez-vous que les articles publiés à ce sujet disent la vérité? Ont-ils raison? »

S pour « story », histoire. Raconter une histoire afin de créer l'empathie. Racontez ce qui est arrivé à un de vos clients. Servez-vous du dialogue. Racontez des histoires captivantes, comme celle de ce vieux retraité.

L'Amazonie

Une personne me disait un jour qu'elle était trop vieille pour voyager. Je lui racontais l'histoire de ce vieux monsieur retraité. Jardinier à la C.I.P. de La Tuque, il perdit sa femme quelque temps après avoir pris sa retraite. Il s'ennuyait. Et se souvint d'un rêve qu'il avait fait plus jeune: voyager. Il décida de voyager. « Un billet pour les Indes. » « Aller-retour? », de demander l'agent de voyages. « Aller seulement », de répondre le vieil homme. « Je m'en vais réaliser un rêve. » Il revint trois mois après. Deux ans plus tard, il repartait pour un séjour d'un an en Afrique. Deux ans après, il partit en moto avec sa blonde. Il visita l'Amazonie et revint offusqué parce qu'on lui avait refusé un voyage hasardeux sur l'Amazone à cause de son âge. Et lorsqu'il racontait cette aventure, à la radio, il était en train d'organiser son voyage au Tibet. « Et vous, monsieur, à cinquante-six ans, vous me dites que vous êtes trop vieux pour voyager! »

E pour exemple. « Supposons monsieur, que vous avez l'argent. Pensez-vous que le produit que je vous offre, ferait votre

affaire? Seriez-vous prêt à investir? » Aider le client à mettre de l'ordre dans ses idées. Si le client dit oui, il ne reste plus qu'à régler une question d'ordre financier. Convaincre le client de prendre les moyens nécessaires pour payer son achat. Prenez pour acquis que la vente est faite.

Même quand vous croirez les avoir enfin convaincus, certains clients auront encore besoin de votre aide et vous devrez faire revenir vos témoins. Vos preuves. Vos mathématiques. Refaire la démonstration.

« Je suis bien d'accord. Si j'avais l'argent . . . mais j'aimerais y penser. » Souligner de nouveau au client les avantages qui accompagnent le produit. Utiliser, si possible, de nouveaux témoins. Faire goûter de nouveau, à des personnes nouvelles.

Prendre à témoin les personnes qui sont autour. Combien de fois j'ai vu des gens acheter des instruments de musique sans que le vendeur n'intervienne. C'était les autres clients qui avaient vendu l'orgue. Des témoins. Recalculer avec le client. Ce qui marche, ce qui ne marche pas. Refaire les chiffres du profit. Reprendre les rêves calculées en dollars. Rassurer. Revenir au début. Revenir au « pour acquis ». « Est-ce que vous pensez pouvoir payer en moins de trois mois, en six chèques, tous les quinze jours? Vous n'aurez aucun frais de financement. Je pourrais vous laisser ce "démonstrateur" en attendant votre appareil. »

Savoir rassurer. Prendre une feuille de papier et y indiquer, avec l'aide du client, le pour et le contre. Mettre des chiffres: le poids de l'instrument, son coût, sa durée, sa rapidité, sa rentabilité. L'acheteur est toujours un « Monsieur Sécurité ». Il manque de confiance. Dites-lui qu'il pourra bénéficier de périodes d'essai. Vous faites affaire avec un craintif. Vérifiez si vous avez bien répondu aux objections qu'il vous a faites. N'oubliez pas les objections dues à l'ignorance. Les gens craintifs ont peur de dire qu'ils ont peur. Ils ont peur de dire qu'ils n'ont pas l'argent. Qu'ils ne voient pas l'utilité d'un produit, la nécessité d'un service. Tout reprendre jusqu'à ce que vous soyez sûr que le client a l'intention d'acheter. Faire le tour. C'est l'art de conclure une vente.

J'ai rencontré tous les tempéraments: Monsieur Réputation achète à la troisième tentative. Monsieur Accomplissement achète à la première. Monsieur Sécurité, à la quatrième.

Et c'est là que vous pouvez dire: « Appuyez bien, monsieur le client, le contrat de vente est en trois copies. »

Comment ?

Avec l'aide de Céline, ma femme, qui a fait plus que n'importe qui pour m'aider à me vendre.

Avec l'aide de Bob, un « pro » de la vente de qui j'ai appris que vendre était le plus beau métier du monde.

Avec l'aide de Geneviève et Gilles Derome qui ont su m'aider à écrire mes causeries.

Avec l'aide de Guy Gaucher qui a traduit graphiquement mes idées.

Avec l'aide de tous ceux qui découvriront leur histoire. Parce que j'ai emprunté à plusieurs.

Avec l'aide de ceux qui, parmi mes auditeurs, m'ont fait sentir par leurs témoignages que je leur rendais service.

> P.S. Ecrire un livre sur la vente, c'est courir un risque.
> Que penser d'un livre sur la vente qui ne se vendrait pas? Merci lecteur, de m'avoir aidé à relever ce défi.

Jean-Marc Chaput
Ville de Laval, 8 décembre 1974

Table des matières

Capter l'attention

Les propositions

J'espère les objections

Je lui rends la proposition facile

Comment?

Achevé d'imprimer sur les presses de
L'IMPRIMERIE ELECTRA*
pour
LES ÉDITIONS DE L'HOMME LTÉE
*Division du groupe Sogides Ltée

Imprimé au Canada/Printed in Canada

Ouvrages parus
chez les Éditeurs du groupe Sogides

Ouvrages parus aux
ÉDITIONS
DE L'HOMME

ART CULINAIRE

Art d'apprêter les restes (L'),
S. Lapointe,
Art de la table (L'), M. du Coffre,
Art de vivre en bonne santé (L'),
Dr W. Leblond,
Boîte à lunch (La), L. Lagacé,
101 omelettes, M. Claude,
Cocktails de Jacques Normand (Les),
J. Normand,
Congélation (La), S. Lapointe,
Conserves (Les), Soeur Berthe,
Cuisine chinoise (La), L. Gervais,
Cuisine de maman Lapointe (La),
S. Lapointe,
Cuisine de Pol Martin (La), Pol Martin,
Cuisine des 4 saisons (La),
Mme Hélène Durand-LaRoche,
Cuisine en plein air, H. Doucet,
Cuisine française pour Canadiens,
R. Montigny,
Cuisine italienne (La), Di Tomasso,
Diététique dans la vie quotidienne,
L. Lagacé,
En cuisinant de 5 à 6, J. Huot,
Fondues et flambées de maman Lapointe,
S. Lapointe,
Fruits (Les), J. Goode,

Grande Cuisine au Pernod (La),
S. Lapointe,
Hors-d'oeuvre, salades et buffets froids,
L. Dubois,
Légumes (Les), J. Goode,
Madame reçoit, H.D. LaRoche,
Mangez bien et rajeunissez, R. Barbeau,
Poissons et fruits de mer,
Soeur Berthe,
Recettes à la bière des grandes cuisines
Molson, M.L. Beaulieu,
Recettes au "blender", J. Huot,
Recettes de gibier, S. Lapointe,
Recettes de Juliette (Les), J. Huot,
Recettes de maman Lapointe,
S. Lapointe,
Régimes pour maigrir, M.J. Beaudoin,
Tous les secrets de l'alimentation,
M.J. Beaudoin,
Vin (Le), P. Petel,
Vins, cocktails et spiritueux,
G. Cloutier,
Vos vedettes et leurs recettes,
G. Dufour et G. Poirier,
Y'a du soleil dans votre assiette,
Georget-Berval-Gignac,

DOCUMENTS, BIOGRAPHIE

Architecture traditionnelle au Québec (L'),
Y. Laframboise,
Art traditionnel au Québec (L'),
Lessard et Marquis,
Artisanat québécois 1. Les bois et les
textiles, C. Simard,

Artisanat québécois 2. Les arts du feu,
C. Simard,
Acadiens (Les), E. Leblanc,
Bien-pensants (Les), P. Berton,
Ce combat qui n'en finit plus,
A. Stanké,-J.L. Morgan,

Charlebois, qui es-tu?, B. L'Herbier,

Comité (Le), M. et P. Thyraud de Vosjoli,

Des hommes qui bâtissent le Québec,
    collaboration,

Drogues, J. Durocher,

Epaves du Saint-Laurent (Les),
    J. Lafrance,

Ermite (L'), L. Rampa,

Fabuleux Onassis (Le), C. Cafarakis,

Félix Leclerc, J.P. Sylvain,

Filière canadienne (La), J.-P. Charbonneau,

Francois Mauriac, F. Seguin,

Greffes du coeur (Les), collaboration,

Han Suyin, F. Seguin,

Hippies (Les), Time-coll.,

Imprévisible M. Houde (L'), C. Renaud,

Insolences du Frère Untel, F. Untel,

J'aime encore mieux le jus de betteraves,
    A. Stanké,

Jean Rostand, F. Seguin,

Juliette Béliveau, D. Martineau,

Lamia, P.T. de Vosjoli,

Louis Aragon, F. Seguin,

Magadan, M. Solomon,

Maison traditionnelle au Québec (La),
    M. Lessard, G. Vilandré,

Maîtresse (La), James et Kedgley,

Mammifères de mon pays,
    Duchesnay-Dumais,

Masques et visages du spiritualisme
    contemporain, J. Evola,

Michel Simon, F. Seguin,

Michèle Richard raconte Michèle Richard,
    M. Richard,

Mon calvaire roumain, M. Solomon,

Mozart, raconté en 50 chefs-d'oeuvre,
    P. Roussel,

Nationalisation de l'électricité (La),
    P. Sauriol,

Napoléon vu par Guillemin, H. Guillemin,

Objets familiers de nos ancêtres, L. Ver-
    mette, N. Genêt, L. Décarie-Audet,

On veut savoir, (4 t.), L. Trépanier,

Option Québec, R. Lévesque,

Pour entretenir la flamme, L. Rampa,

Pour une radio civilisée, G. Proulx,

Prague, l'été des tanks, collaboration,

Premiers sur la lune,
    Armstrong-Aldrin-Collins,

Prisonniers à l'Oflag 79, P. Vallée,

Prostitution à Montréal (La),
    T. Limoges,

Provencher, le dernier des coureurs
    des bois, P. Provencher,

Québec 1800, W.H. Bartlett,

Rage des goof-balls (La),
    A. Stanké, M.J. Beaudoin,

Rescapée de l'enfer nazi, R. Charrier,

Révolte contre le monde moderne,
    J. Evola,

Riopelle, G. Robert,

Struma (Le), M. Solomon,

Terrorisme québécois (Le), Dr G. Morf,

Ti-blanc, mouton noir, R. Laplante,

Treizième chandelle (La), L. Rampa,

Trois vies de Pearson (Les),
    Poliquin-Beal,

Trudeau, le paradoxe, A. Westell,

Un peuple oui, une peuplade jamais!
    J. Lévesque,

Un Yankee au Canada, A. Thério,

Une culture appelée québécoise,
    G. Turi,

Vizzini, S. Vizzini,

Vrai visage de Duplessis (Le),
    P. Laporte,

ENCYCLOPEDIES

Encyclopédie de la maison québécoise,
    Lessard et Marquis,

Encyclopédie des antiquités du Québec,
    Lessard et Marquis,

Encyclopédie des oiseaux du Québec,
    W. Earl Godfrey,

Encyclopédie du jardinier horticulteur,
    W.H. Perron,

Encyclopédie du Québec, Vol. I et Vol. II,
    L. Landry,

ESTHETIQUE ET VIE MODERNE

Cellulite (La), Dr G.J. Léonard,
Chirurgie plastique et esthétique (La),
  Dr A. Genest,
Embellissez votre corps, J. Ghedin,
Embellissez votre visage, J. Ghedin,
Etiquette du mariage, Fortin-Jacques,
  Farley,
Exercices pour rester jeune, T. Sekely,
Exercices pour toi et moi,
  J. Dussault-Corbeil,
Face-lifting par l'exercice (Le),
  S.M. Rungé,
Femme après 30 ans (La), N. Germain,

Femme émancipée (La), N. Germain et
  L. Desjardins,
Leçons de beauté, E. Serei,
Médecine esthétique (La),
  Dr G. Lanctôt,
Savoir se maquiller, J. Ghedin,
Savoir-vivre, N. Germain,
Savoir-vivre d'aujourd'hui (Le),
  M.F. Jacques,
Sein (Le), collaboration,
Soignez votre personnalité, messieurs,
  E. Serei,
Vos cheveux, J. Ghedin,
Vos dents, Archambault-Déom,

LINGUISTIQUE

Améliorez votre français, J. Laurin,
Anglais par la méthode choc (L'),
  J.L. Morgan,
Corrigeons nos anglicismes, J. Laurin,
Dictionnaire en 5 langues, L. Stanké,

Petit dictionnaire du joual au français,
  A. Turenne,
Savoir parler, R.S. Catta,
Verbes (Les), J. Laurin,

LITTERATURE

Amour, police et morgue, J.M. Laporte,
Bigaouette, R. Lévesque,
Bousille et les justes, G. Gélinas,
Berger (Les), M. Cabay-Marin, Ed. TM,
Candy, Southern & Hoffenberg,
Cent pas dans ma tête (Les), P. Dudan,
Commettants de Caridad (Les),
  Y. Thériault,
Des bois, des champs, des bêtes,
  J.C. Harvey,
Ecrits de la Taverne Royal, collaboration,
Exodus U.K., R. Rohmer,
Exxoneration, R. Rohmer,
Homme qui va (L'), J.C. Harvey,
J'parle tout seul quand j'en narrache,
  E. Coderre,
Malheur a pas des bons yeux (Le),
  R. Lévesque,
Marche ou crève Carignan, R. Hollier,
Mauvais bergers (Les), A.E. Caron,

Mes anges sont des diables,
  J. de Roussan,
Mon 29e meurtre, Joey,
Montréalités, A. Stanké,
Mort attendra (La), A. Malavoy,
Mort d'eau (La), Y. Thériault,
Ni queue, ni tête, M.C. Brault,
Pays voilés, existences, M.C. Blais,
Pomme de pin, L.P. Dlamini,
Printemps qui pleure (Le), A. Thério,
Propos du timide (Les), A. Brie,
Séjour à Moscou, Y. Thériault,
Tit-Coq, G. Gélinas,
Toges, bistouris, matraques et soutanes,
  collaboration,
Ultimatum, R. Rohmer,
Un simple soldat, M. Dubé,
Valérie, Y. Thériault,
Vertige du dégoût (Le), E.P. Morin,

LIVRES PRATIQUES — LOISIRS

Aérobix, Dr P. Gravel,
Alimentation pour futures mamans,
  T. Sekely et R. Gougeon,

Améliorons notre bridge, C. Durand,
Apprenez la photographie avec Antoine
  Desilets, A. Desilets,

Arbres, les arbustes, les haies (Les),
    P. Pouliot,
Armes de chasse (Les), Y. Jarrettie,
Astrologie et l'amour (L'), T. King,
Bougies (Les), W. Schutz,
Bricolage (Le), J.M. Doré,
Bricolage au féminin (Le), J.-M. Doré,
Bridge (Le), V. Beaulieu,
Camping et caravaning, J. Vic et
    R. Savoie,
Caractères par l'interprétation des visages,
    (Les), L. Stanké,
Ciné-guide, A. Lafrance,
Chaînes stéréophoniques (Les),
    G. Poirier,
Cinquante et une chansons à répondre,
    P. Daigneault,
Comment amuser nos enfants,
    L. Stanké,
Comment tirer le maximum d'une mini-
    calculatrice, H. Mullish,
Conseils à ceux qui veulent bâtir,
    A. Poulin,
Conseils aux inventeurs, R.A. Robic,
Couture et tricot, M.H. Berthouin,
Dictionnaire des mots croisés,
    noms propres, collaboration,
Dictionnaire des mots croisés,
    noms communs, P. Lasnier,
Fins de partie aux dames,
    H. Tranquille, G. Lefebvre,
Fléché (Le), L. Lavigne et F. Bourret,
Fourrure (La), C. Labelle,
Guide complet de la couture (Le),
    L. Chartier, 4.00
Guide de la secrétaire, M. G. Simpson,
Hatha-yoga pour tous, S. Piuze,
8/Super 8/16, A. Lafrance,
Hypnotisme (L'), J. Manolesco,
Information Voyage, R. Viau et J. Daunais,
    Ed. TM,
Interprétez vos rêves, L. Stanké,

J'installe mon équipement stéréo, T. I et II,
    J.M. Doré,
Jardinage (Le), P. Pouliot,
Je décore avec des fleurs, M. Bassili,
Je développe mes photos, A. Desilets,
Je prends des photos, A. Desilets,
Jeux de cartes, G. F. Hervey,
Jeux de société, L. Stanké,
Lignes de la main (Les), L. Stanké,
Magie et tours de passe-passe,
    I. Adair,
Massage (Le), B. Scott,
Météo (La), A. Ouellet,
Nature et l'artisanat (La), P. Roy,
Noeuds (Les), G.R. Shaw,
Origami I, R. Harbin,
Origami II, R. Harbin,
Ouverture aux échecs (L'), C. Coudari,
Parties courtes aux échecs,
    H. Tranquille,
Petit manuel de la femme au travail,
    L. Cardinal,
Photo-guide, A. Desilets,
Plantes d'intérieur (Les), P. Pouliot,
Poids et mesures, calcul rapide,
    L. Stanké,
Tapisserie (La), T.-M. Perrier,
    N.-B. Langlois,
Taxidermie (La), J. Labrie,
Technique de la photo, A. Desilets,
Techniques du jardinage (Les),
    P. Pouliot,
Tenir maison, F.G. Smet,
Tricot (Le), F. Vandelac,
Vive la compagnie, P. Daigneault,
Vivre, c'est vendre, J.M. Chaput,
Voir clair aux dames, H. Tranquille,
Voir clair aux échecs, H. Tranquille et
    G. Lefebvre,
Votre avenir par les cartes, L. Stanké,
Votre discothèque, P. Roussel,
Votre pelouse, P. Pouliot,

LE MONDE DES AFFAIRES ET LA LOI

ABC du marketing (L'), A. Dahamni,
Bourse (La), A. Lambert,
Budget (Le), collaboration,
Ce qu'en pense le notaire, Me A. Senay,
Connaissez-vous la loi? R. Millet,
Dactylographie (La), W. Lebel,
Dictionnaire de la loi (Le), R. Millet,
Dictionnaire des affaires (Le), W. Lebel,
Dictionnaire économique et financier,
    E. Lafond,

Divorce (Le), M. Champagne et Léger,
Guide de la finance (Le), B. Pharand,
Initiation au système métrique,
    L. Stanké,
Loi et vos droits (La),
    Me P.A. Marchand,
Savoir organiser, savoir décider,
    G. Lefebvre,
Secrétaire (Le/La) bilingue, W. Lebel,

PATOF

Cuisinons avec Patof, J. Desrosiers,

Patof raconte, J. Desrosiers,
Patofun, J. Desrosiers,

SANTÉ, PSYCHOLOGIE, ÉDUCATION

Activité émotionnelle (L'), P. Fletcher,
Allergies (Les), Dr P. Delorme,
Apprenez à connaître vos médicaments,
R. Poitevin,
Caractères et tempéraments,
C.-G. Sarrazin,
Comment animer un groupe,
collaboration,
Comment nourrir son enfant,
L. Lambert-Lagacé,
Comment vaincre la gêne et la timidité,
R.S. Catta,
Communication et épanouissement
personnel, L. Auger,
Complexes et psychanalyse,
P. Valinieff,
Contact, L. et N. Zunin,
Contraception (La), Dr L. Gendron,
Cours de psychologie populaire,
F. Cantin,
Dépression nerveuse (La), collaboration,
Développez votre personnalité,
vous réussirez, S. Brind'Amour,
Douze premiers mois de mon enfant (Les),
F. Caplan,
Dynamique des groupes,
Aubry-Saint-Arnaud,
En attendant mon enfant,
Y.P. Marchessault,
Femme enceinte (La), Dr R. Bradley,
Guérir sans risques, Dr E. Plisnier,
Guide des premiers soins, Dr J. Hartley,

Guide médical de mon médecin de famille,
Dr M. Lauzon,
Langage de votre enfant (Le),
C. Langevin,
Maladies psychosomatiques (Les),
Dr R. Foisy,
Maman et son nouveau-né (La),
T. Sekely,
Mathématiques modernes pour tous,
G. Bourbonnais,
Méditation transcendantale (La),
J. Forem,
Mieux vivre avec son enfant, D. Calvet,
Parents face à l'année scolaire (Les),
collaboration,
Personne humaine (La), Y. Saint-Arnaud,
Pour bébé, le sein ou le biberon,
Y. Pratte-Marchessault,
Pour vous future maman, T. Sekely,
15/20 ans, F. Tournier et P. Vincent,
Relaxation sensorielle (La), Dr P. Gravel,
S'aider soi-même, L. Auger, 4.00
Soignez-vous par le vin, Dr E. A. Maury,
Volonté (La), l'attention, la mémoire,
R. Tocquet,
Vos mains, miroir de la personnalité,
P. Maby,
Votre personnalité, votre caractère,
Y. Benoist-Morin,
Yoga, corps et pensée, B. Leclerq,
Yoga, santé totale pour tous,
G. Lescouflar,

SEXOLOGIE

Adolescent veut savoir (L'),
Dr L. Gendron,
Adolescente veut savoir (L'),
Dr L. Gendron,
Amour après 50 ans (L'), Dr L. Gendron,
Couple sensuel (Le), Dr L. Gendron,
Déviations sexuelles (Les), Dr Y. Léger,
Femme et le sexe (La), Dr L. Gendron,
Helga, E. Bender,
Homme et l'art érotique (L'),
Dr L. Gendron,
Madame est servie, Dr L. Gendron,

Maladies transmises par relations
sexuelles, Dr L. Gendron,
Mariée veut savoir (La), Dr L. Gendron,
Ménopause (La), Dr L. Gendron,
Merveilleuse histoire de la naissance (La),
Dr L. Gendron,
Qu'est-ce qu'un homme, Dr L. Gendron,
Qu'est-ce qu'une femme, Dr L. Gendron,
Quel est votre quotient psycho-sexuel?
Dr L. Gendron,
Sexualité (La), Dr L. Gendron,
Teach-in sur la sexualité,
Université de Montréal,
Yoga sexe, Dr L. Gendron et S. Piuze,

SPORTS (collection dirigée par Louis Arpin)

ABC du hockey (L'), H. Meeker,
Aikido, au-delà de l'agressivité,
M. Di Villadorata,
Bicyclette (La), J. Blish,

Comment se sortir du trou au golf,
Brien et Barrette,
Courses de chevaux (Les), Y. Leclerc,

Ouvrages parus aux
PRESSES
LIBRES

Books published by HABITEX

Diffusion Europe

Belgique: 21, rue Defacqz — 1050 Bruxelles
France: 4, rue de Fleurus — 75006 Paris